AS/A-LEVEL
German

Thomas Reimann

Exam Revision Notes

Philip Allan Updates
Market Place
Deddington
Oxfordshire
OX15 0SE

tel: 01869 338652
fax: 01869 337590
e-mail: sales@philipallan.co.uk
www.philipallan.co.uk

ISBN 0 86003 443 7

Cover illustration by John Spencer
Printed by Raithby, Lawrence & Co Ltd, Leicester

Contents

Unit 4 Speaking

Part 1 Techniques

Part 2 Dialogues

Unit 5 Revision

Unit 6 Coursework and topic papers

Introduction

About this book

The four main aims of this book are to:
- supply you with key vocabulary for general topics
- outline essential grammatical concepts
- provide useful methods for improving your speaking skills
- show you efficient ways of preparing and revising for exams

Everything in the book relates to the new specifications for the AS and A2 exams. In each unit there are plenty of German examples, which will help you to remember vocabulary and grammar. These examples cover relevant, up-to-date German AS and A2 topics in accordance with the specifications of the major examining bodies. This means you can easily integrate the various methods, tips and examples into your work.

Topic areas

A study of the specifications of the various examining bodies could easily yield at least 50 subjects, which is far too many to organise effectively in one book. Therefore ten major topic areas have been identified for the purposes of these notes. Within each of these topic areas a variety of themes has been covered, ensuring that most of the 50 subjects are included. The topic areas are as follows:

i	Aktuelle Fragen der Zeit	Current affairs
ii	Auslandsfragen	Foreign affairs
iii	Der deutschsprachige Raum und Europa	German-speaking regions and Europe
iv	Freizeit und Urlaub	Free time and holidays
v	Die Gesellschaft	Society
vi	Gesundheitsfragen	Health issues
vii	Medien und Kultur	Media and culture
viii	Schul- und Arbeitswelt	The world of school and work
ix	Technik	Technology
x	Die Umwelt	The environment

Which subjects belong to each topic area?
Below is a list of 50 subjects. Try to match each subject with one of the ten major topic areas. There should be five subjects to each topic area. The first two answers are already written next to the subject title; the remaining answers are given below.

1 **Probleme der Arbeitslosigkeit**   viii   2 **Fragen der Pressezensur**   vii

This type of list can never be totally comprehensive, of course; neither are the ten major topic areas clear cut. A subject like the internet could easily fall under technology, media or current affairs. By the time this book is printed there might have been events and developments in Germany, Europe or the world that are relevant to German AS and A-level. But having ten basic topic areas and a thorough understanding of what these stand for gives you the chance to add new subjects, words, phrases and specimen sentences easily. You will need to do this on a regular basis anyway, because this book cannot cover all key vocabulary.

Suggested answers

i   Current affairs: 9, 20, 30, 38, 47

ii   Foreign affairs: 5, 17, 25, 35, 42

iii German-speaking regions and Europe: 10, 11, 27, 33, 48

iv   Free time and holidays: 6, 18, 26, 36, 46

v   Society: 7, 19, 28, 34, 45

vi   Health issues: 8, 12, 29, 31, 41

vii Media and culture: 2, 14, 22, 37, 49

viii The world of school and work: 1, 13, 24, 32, 43

ix   Technology: 3, 15, 23, 40, 50

x   The environment: 4, 16, 21, 39, 44

The contents of the units

Unit 1 Vocabulary

In Unit 1 the ten major topic areas are introduced. Each section consists of four components: 40 keywords, five specimen sentences and a specimen paragraph, all in German with English translations, and finally five essay titles in German. These will give you a good idea of the scope of the topic area and form challenging tasks that will make you think about the structure and content of a specific subject.

Units 2 and 3 Grammar

Units 2 and 3 are grammatical units. A firm grasp of grammar is essential for learning German. Unit 2 looks at the different verb forms; Unit 3 covers other grammar items.

Unit 4 Speaking

Unit 4 covers the skill of speaking. It includes useful tips to help you improve your speaking skills and to enable you to plan and prepare effectively for an oral exam.

Unit 5 Revision

Unit 5 looks at methods of revising efficiently, e.g. structuring an essay and effective ways of taking notes.

Unit 6 Coursework and topic papers

Unit 6 is a source of ideas for the topic/coursework option. It is divided into four sections, each of which is broken down into key points with a list of German questions.

A How to organise and structure a vocabulary list

Before you start studying the ten major topic areas identified here it is vital to look at ways of organising and structuring a vocabulary list. There are three major types of words: nouns, verbs and adjectives.

1 Nouns

Many people learning German make mistakes with the gender and plurals of nouns. For this reason, each time you make note of a new noun it is essential to include its gender and plural form.

Example

der Regenschirm (e)   umbrella

By setting out the information as above it is clear that *Regenschirm* is a masculine noun and that the plural is *Regenschirme*.

Example

die Mutter (¨)   mother

Mutter is a feminine noun and its plural is formed by adding an umlaut to the *u*, so *Mutter* becomes *Mütter*.

Example

das Gewitter (~)   thunderstorm

Gewitter is a neuter noun; the symbol (~) indicates that it does not change in its plural form.

If no information is given in brackets in the vocabulary lists it means that there is no plural or that the word would not make sense in the plural.

Example

der Krieg (e)   war
der 2. Weltkrieg   Second World War

2 Verbs

In the vocabulary lists the verbs are followed by numbers in brackets. This will help you with the formation of the present perfect tense (see Unit 2D). This tense is extremely important in German. Its formation requires the past participle of the verb. Verbs can be divided into five groups and their past participles derived as outlined below.

Group 1 Weak verbs

There is no vowel change in the stem; the past participle is prefixed by *ge-* and ends in *-t* or *-et*:

machen ⟶ gemacht
lieben ⟶ geliebt
arbeiten ⟶ gearbeitet

In the vocabulary lists in this guide, (1) next to the verb indicates that it is a group 1 verb, with its past participle formed as described above.

Example
rauchen (1) ⟶ geraucht   Ich habe geraucht.

Group 2 Strong verbs

There is no vowel change in the stem; the past participle is prefixed by *ge-* and ends in *-en*:

geben ⟶ gegeben
schlafen ⟶ geschlafen
lesen ⟶ gelesen

In the vocabulary lists, (2) next to the verb indicates that it is a group 2 verb, with its past participle formed as described above.

Example
waschen (2) ⟶ gewaschen   Ich habe das Auto gewaschen.

Group 3 Weak verbs ending in *-ieren* and verbs with the prefixes *be-*, *emp-*, *ent-*, *er-*, *ge-*, *ver-*, *zer-*

These verbs are not prefixed by *ge-*; they are used in the third person singular verb form:

studieren ⟶ studiert
bestellen ⟶ bestellt
erklären ⟶ erklärt

In the vocabulary lists, (3) next to the verb indicates that it is a group 3 verb, with its past participle formed as described above.

Example
verkaufen (3) ⟶ verkauft   Ich habe das Haus verkauft.

Group 4 Verbs where the infinitive and the past participle are identical

Example
verlassen (4) ⟶ verlassen   Ich habe Berlin verlassen.

Group 5 Irregular verbs

These verbs need to be learned individually. In the vocabulary lists, (5) next to the verb indicates that its past participle is irregular. All past participles of group 5 words are given in the vocabulary lists.

kennen (5) ⟶ gekannt   Ich habe den Lehrer gekannt.
verlieren (5) ⟶ verloren   Er hat das Spiel verloren.
finden (5) ⟶ gefunden   Sie haben die Handtasche gefunden.

The present perfect tense of some German verbs is formed with the auxiliary verb *sein*. In the vocabulary lists all verbs that take *sein* in the present perfect tense are indicated by an asterisk (*) after the brackets.

Examples
fahren (2)* ⟶ gefahren   Ich bin nach Bonn gefahren.
gehen (5)* ⟶ gegangen   Er ist ins Kino gegangen.

3 Adjectives

Some adjectives add an umlaut in the comparative and superlative, some are irregular. Any changes are indicated in the vocabulary lists.

Examples
klein — kleiner   Regular adjective
alt — älter   Umlaut is added
gut — besser   Irregular adjective

B Current affairs

1 Selected vocabulary

abbauen (1)	to reduce
altmodisch	old-fashioned
an der Leine führen (1)	to keep on a leash
die Anerkennung (en)	recognition
angreifen (5, angegriffen)	to attack
antisemitisch	anti-Semitic
aufwachsen (2)*	to grow up
die Ausgrenzung (en)	exclusion
ausländerfeindlich	hostile to foreigners, xenophobic
aussteigen (5, ausgestiegen)*	to opt out
bedrohen (3)	to threaten
besser gestellt sein (5, gewesen)*	to be better off
die Fremdenfeindlichkeit	hostility to strangers, xenophobia
die Genehmigung (en)	permission
der Glauben	faith

gleichgeschlechtliche Paare	gay couples
Gott	God
die Hautfarbe (n)	skin colour
sich heimisch fühlen (1)	to feel at home
die Homo-Ehe (n)	homosexual marriage
der Hundehalter (~)	dog handler
die Kampfhunde-Verordnung	regulations for the control of dangerous dogs
kontrovers	controversial
der Maulkorb (¨e)	muzzle
das Opfer (~)	victim
die Orientierung verlieren (5, verloren)	to lose one's bearings
die Parole (n)	slogan
die Randgruppe (n)	fringe group
rechts eingestellt sein (5, gewesen)	to be right-wing
der Rechtsextremist (en)	right-wing extremist
die Sichtweise (n)	point of view
Streit schlichten (1)	to mediate, settle a quarrel
die Toleranz	tolerance
unterstützen (3)	to support
Verantwortung tragen (2)	to take responsibility
verbittert	embittered, bitter
sich verhalten (4)	to behave, act
Vorurteile haben (1)	to be prejudiced
die Zivilcourage	courage to speak out and act for society's good
züchten (1)	to breed

2 | Specimen sentences

Die Kirchen sind immer leerer und weniger junge Leute interessieren sich für religiöse Themen und Fragen.	Churches are increasingly empty and fewer young people are interested in religious topics and issues.
In Deutschland gibt es eine neue Kampfhunde-Verordnung, weil zu viele Hunde Menschen angreifen.	There are new regulations for the control of dangerous dogs in Germany because there have been too many attacks on people.

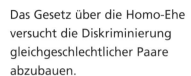

Das Gesetz über die Homo-Ehe versucht die Diskriminierung gleichgeschlechtlicher Paare abzubauen.

The law regarding homosexual marriage is an attempt to reduce discrimination against gay couples.

Viele Bewohner Westdeutschlands haben noch immer viele Vorurteile gegenüber den Menschen in Ostdeutschland.

Many people who live in western Germany are still prejudiced against people from East Germany.

Die meisten Leute in Deutschland unterstützen Maßnahmen um gefährliche rechte Parteien und Organisationen zu verbieten.

Most people in Germany support moves to ban dangerous far-right political parties and organisations.

3 Specimen paragraph

Im Jahre 1989 fiel die Berliner Mauer. Westdeutsche Politiker versprachen Ostdeutschland zu helfen, es gibt jedoch immer noch ungelöste Probleme. In einigen Gegenden ist jeder Fünfte arbeitslos, Tausende Wohnungen und Büros stehen leer und Arbeitskräfte ziehen in den Westen.

In 1989 the Berlin Wall came down. West German politicians promised to help East Germany, but there are still many unsolved problems. In some areas one in five eastern Germans are unemployed, thousands of flats and offices stand empty and workers are moving to the West.

4 Essay titles

Immer weniger Menschen gehen in die Kirche. Geben die Kirchen die falschen Antworten, ist Religion out oder sind Menschen heutzutage anders religiös?

Rassismus — nennen Sie Ursachen, Probleme und mögliche Lösungen.

In Skandinavien, Holland, Frankreich und jetzt auch in Deutschland bekommen homosexuelle Paare eine staatliche Anerkennung. Sollten andere Länder wie Großbritannien folgen?

Immer wieder greifen Hunde Menschen an. Sind bestimmte Hunde wie Raubtiere, oder ist der Mensch, z.B. durch falsches Züchten oder schlechte Erziehung, schuld?

Noch immer gibt es viel gegenseitige Kritik und Unverständnis zwischen Ostdeutschen und Westdeutschen. Geben Sie Beispiele und nennen Sie mögliche Gründe.

C Foreign affairs

1 Selected vocabulary

abschieben (5, abgeschoben)	to deport
sich anpassen (1)	to adapt
die Arbeitserlaubnis (se)	work permit
die Arbeitsgenehmigung (en)	work permit
der Asylantrag ("e)	application for political asylum
der Asylbewerber (~)	asylum seeker
die Aufenthaltserlaubnis (se)	residence permit
die Bedürfnisse des Arbeitsmarktes	needs of the labour market
befristet	limited, restricted (timewise)
benötigen (3)	to require
betteln (1)	to beg
die Bevölkerungsabnahme/-zunahme (n)	fall/rise in population
der Brunnen (~)	well
der Bürgerkrieg (e)	civil war
diskriminieren (3)	to discriminate
die Dürre (n)	drought
das Einwanderungsland ("er)	a country that has a high number of applicants for immigration
der Entwicklungshelfer (~)	aid worker
erlassen (4)	to remit, release from
die Ernte (n)	crop
fallen (2)*	to fall
der Flüchtling (e)	refugee
der Geburtenrückgang ("e)	drop in the birth-rate
der Handel	trade
das Herkunftsland ("er)	country of origin
der Hochqualifizierte (n)	highly qualified person
die Hungersnot ("e)	famine
illegal	illegal
das Industrieland ("er)	industrialised country
die Integration	integration
die Konkurrenz	competition
rechnen mit (1)	to face
die Schulden	debts
steigen (5, gestiegen)*	to rise

das Verhütungsmittel (~)	contraceptive
verweigern (3)	to refuse
das Visum (Visa)	visa
wegnehmen (5, weggenommen)	to take away
das Wirtschaftswachstum	economic growth
der Zuwanderer (~)	immigrant

2 Specimen sentences

Während die Dürren die lebensnotwendigen Ernten immer weiter auslöschen, warnen Entwicklungshelfer davor, dass bald bis zu eine Million Bauern mit Hungersnot rechnen könnten.

As droughts continue to wipe out subsistence crops, aid workers warn that up to 1 million peasant farmers could soon be facing famine.

Allgemein wird angenommen, dass die Deutschen Ausländer hassen und Deutschland ein fremdenfeindliches Land ist.

It is generally believed that Germans hate foreigners and that Germany is a xenophobic country.

Man muss noch einen weiteren Punkt berücksichtigen, nämlich dass viele Ausländer Flüchtlinge aus Ländern mit Bürgerkriegen sind.

A further point to consider is that a lot of foreigners are refugees from countries undergoing civil war.

Asylbewerbern, die in Deutschland leben, wird der Zugang zum Arbeitsmarkt verweigert, obwohl viele von ihnen sehr gut Deutsch sprechen.

Asylum seekers living in Germany are refused entry to the labour market although many of them speak German very well.

Deutschland hat ein neues Green-Card-Programm eingeführt, unter dem Arbeitsgenehmigungen und Visa an Informatik-Spezialisten schnell vergeben werden.

Germany has introduced a new green card scheme under which work permits and visas are granted quickly for IT specialists.

3 Specimen paragraph

Ich bin der Meinung, dass es ein Vorteil ist, dass es so viele Ausländer in Deutschland gibt. Man könnte einwenden, dass die Ausländer die

In my opinion it is an advantage that there are so many foreigners in Germany. It might be argued that the foreigners

Arbeit wegnehmen. Aber das ist Unsinn, denn viele machen Arbeiten, die sonst niemand machen will. Ausländer bereichern die deutsche Kultur, z.B. in der Kunst oder im Fernsehen. Sie zahlen Steuern und sichern die Renten von morgen. Jeder liebt die Spezialitäten in ausländischen Restaurants. Ich denke, im Grunde genommen braucht Deutschland Ausländer!

take away the jobs. But this is nonsense, because many do jobs nobody else wants to do. Foreigners enrich the German culture, for example in art or on television. They pay taxes and secure the pensions of tomorrow. Everybody loves the specialities in foreign restaurants. Basically, I believe that Germany needs foreigners!

4 Essay titles

Warum kamen die Gastarbeiter nach Deutschland? Welche Probleme hatten sie, und inwieweit hat sich ihre Situation verbessert?

Die 3. Welt — Probleme, Ursachen, Lösungen.

'Bei uns gibt es genug Probleme, warum sollen wir den Menschen in der Dritten Welt helfen?' Wie antworten Sie auf solch eine Meinungsäußerung?

Länder, wie Italien, Spanien und Deutschland, die immer weniger eigene Arbeitskräfte haben, brauchen Einwanderung. Untermauern Sie diese These mit Beispielen. Nennen Sie auch mögliche Probleme und Konflikte.

Soll ein Land allen Menschen, die in ihm leben und arbeiten wollen, dies ermöglichen?

D German-speaking regions and Europe

1 Selected vocabulary

das Angebot (e)	offer, supply
im Ausland studieren (3)	to study abroad
bekannt	well known
berühmt sein für (5, gewesen)*	to be famous for
das Bundesland (¨er)	Land (German/Austrian county)
der Cent (s)	cent
die D-Mark (~)	Deutschmark (German currency up to the end of 2001)

die Einnahmequelle (n)	source of income
das Ereignis (se)	event, incident
das Falschgeld	counterfeit, forged money
der Frieden	peace
gehemmt	inhibited, self-conscious
gemeinsam	common
die Gerechtigkeit	justice, fairness
die Grenzkontrolle (n)	border control
die illegale Einwanderung	illegal immigration
der Kanton (e)	canton (Swiss county)
der Markt (¨e)	market
mutig	brave, courageous
der Preisvergleich (e)	price comparison
reisen (1)*	to travel
sich schämen für (1)	to be ashamed of
schützen (1)	to protect
sichern (1)	to ensure
stolz	proud
das totalitäre Regime	totalitarian regime
umtauschen (1)	to exchange
die Unterdrückung	suppression
der Untertan (en)	subject (of a country/state)
verstecken (3)	to hide
das Verteidigungsbündnis (se)	defence alliance
der Waffenschmuggel	arms smuggling, gunrunning
die Währung (en)	currency
die Wechselgebühr (en)	commission on currency exchange
der Weltkrieg (e)	world war
im Widerstand arbeiten (1)	to work for the resistance
in den Wintersport fahren (2)*	to go on a winter sports holiday
der Wohlstand	prosperity
das Zahlungsmittel (~)	means of payment, currency
der Zoll (¨e)	customs duty

2 Specimen sentences

Totalitäre Regime verschaffen sich völlige politische, soziale und kulturelle Kontrolle über ihre Untertanen und an deren Spitze steht gewöhnlich ein charismatischer Führer.	Totalitarian regimes establish complete political, social and cultural control over their subjects and are usually headed by a charismatic leader.

Schweizer Banken haben sich weltweit einen Namen damit gemacht diskreten Bankservice zur Verfügung zu stellen.

Swiss banks have earned a reputation around the world for providing discreet banking services.

Das Ziel der Europäischen Union ist es Wohlstand, politische Stabilität, Sicherheit und Respekt für Demokratie und Menschenrechte zu verbessern.

The goal of the European Union is to improve prosperity, political stability, security and respect for democracy and human rights.

Viele Leute glauben, dass Großbritannien ein Teil von Europa sein sollte, aber sind skeptisch bezüglich der Aufgabe des Pfundes.

Many people believe that Great Britain should be a part of Europe but are sceptical about giving up the pound.

Deutsch ist die zehnthäufigste Sprache in der Welt; Leute, die Deutsch fließend sprechen, haben bessere Chancen einen Job zu finden, besonders in der Wirtschaft und im Bankgewerbe.

German is the tenth most widely spoken language in the world; people who speak it fluently stand a better chance of finding a job, particularly in commerce and banking.

3   *Specimen paragraph*

Österreich besteht aus fast allen Arten von Landschaft, Hochgebirgen, Mittelgebirgen, Hügellandschaft, Ebenen, Seen und einem berühmten Fluss, der Donau, die durch das Land in seinem östlichen, breiteren Teil fließt.

Austria contains almost every type of scenery: high alps, middle-range mountains, hill country, plains, lakes and a famous river, the Danube, which flows through the wider part of the country in the east.

4   *Essay titles*

Nennen Sie positive und negative Beispiele, wie sich Menschen in der Nazizeit verhalten haben.

Was spricht für, was spricht gegen den Euro?

Was sollte ein A-level Student, der Deutsch studiert, über die Schweiz und Österreich wissen? Nennen Sie verschiedene Punkte und geben Sie, wenn möglich, konkrete Beispiele.

Ein gemeinsames Europa schafft neue Möglichkeiten und Chancen, aber auch Risiken und Gefahren. Geben Sie Beispiele.

Kann ein Land aus seiner Geschichte lernen?

E Free time and holidays

1 *Selected vocabulary*

abschalten (1)	to switch off
anregen (1)	to prompt, stimulate
ausbeuten (1)	to exploit
ausnutzen (1)	to use, make use of
ausschließen von (5, ausgeschlossen)	to ban, exclude
beliebt	popular
durchschnittlich	on average
der Einheimische (n)	local
sich einteilen (1)	to organise, budget
die Einwilligung (en)	permission
die Erfahrung (en)	experience
die Erholung	recovery, rest
fördern (1)	to support, encourage
gewinnen (5, gewonnen)	to win
der Heimaturlaub (e)	holiday at home
jobben (1)	to work
kennenlernen (1)	to get to know, meet
die Kinderarbeit	child labour
die Klamotten	clothes
knapp (Geld)	tight
die Kreativität	creativity
sich leisten (1)	to afford
die Lesegewohnheit (en)	reading habit
der Markenname (n)	brand
die Müllentsorgung	waste disposal
die Phantasie	imagination
der Reiseveranstalter (~)	tour operator
die Schutzmaßnahme (n)	precautionary measure
die Sehenswürdigkeit (en)	sight, tourist attraction
sinnvoll	meaningful, useful
die Sportart (en)	(kind of) sport
der Sportverein (e)	sports club
die Trinkwasser-Versorgung	provision of drinking water
überfüllt	crowded, packed
der Umgang mit Geld	handling money

verbieten (5, verboten)	to prohibit
verbringen (5, verbracht)	to spend (time)
zur Verfügung haben (1)	to have at one's disposal
der Wettbewerb (e)	competition
zulässig	allowed, permitted

2 Specimen sentences

Inline-Skating ist unter jungen Leuten sehr beliebt, aber viele versuchen ohne die richtigen Schutzmaßnahmen zu skaten.

Rollerblading is very popular with young people, but they often attempt to skate without taking proper precautionary measures.

Deutsche Studenten verbringen durchschnittlich zwei Stunden pro Tag mit Fernsehen aber nur weniger als eine halbe Stunde mit Lesen.

German students spend an average of 2 hours per day watching television but less than half an hour reading.

Athleten, die verbotene Substanzen einnehmen, riskieren von der weltweiten Teilnahme an Sportwettbewerben ausgeschlossen zu werden.

Athletes who take prohibited substances risk being banned from participating in sports competitions around the world.

Ich bevorzuge Aktivitäten wie Tanzen oder Wandern, bei denen ich Kontakt mit Leuten bekomme, die die selben Interessen wie ich haben.

I prefer activities such as dancing or hiking, where I come into contact with people who have the same interests as I have.

Viele junge Leute können sich nicht solch teure Hobbys wie Reiten, Golfspielen, Segeln oder Windsurfen leisten.

Many young people cannot afford expensive hobbies such as riding, playing golf, sailing or windsurfing.

3 Specimen paragraph

Am Wochenende sind die Wintersportgebiete in den Alpen und Pyrenäen überfüllt. Viele Wintersportler kommen dann aus den Großstädten zu einem Kurzurlaub. Das bedeutet lange Wartezeiten an den Skiliften, Unfälle auf den Pisten

At the weekends the ski resorts in the Alps and Pyrenees are overcrowded. Many winter sports enthusiasts come from the big cities for short breaks. That means long waits at the ski lifts, accidents on the slopes

und Verkehrsstaus auf den Straßen. Außerdem ist so ein Winterurlaub ziemlich teuer.	and traffic jams on the roads. This type of winter holiday is also rather expensive.

4 Essay titles

Beschreiben Sie Unterschiede im Freizeitverhalten von britischen und deutschen Jugendlichen. Spielen dabei Dinge wie die Länge des Schultages, das Wetter oder bestimmte gesetzliche Bestimmungen (z.B. Mindestalter) eine Rolle?

Wer profitiert vom Massentourismus, wem schadet er?

Wenn ihr Kind Talent hätte, zum Beispiel im Tennis oder Fußball, würden Sie ihm erlauben, eine Karriere als Leistungssportler zu beginnen?

Computer sind in, Lesen ist out — ist das gut und normal, oder eine Katastrophe?

Hobbys und Freizeitaktivitäten kosten viel Geld. Stimmt diese Behauptung? Wird genug für junge Leute gemacht? Was könnte besser sein?

F Society

1 Selected vocabulary

der alleinige Verdiener	the sole breadwinner
aus ärmlichen Verhältnissen kommen (2)	to come from a poor background
die ausufernde Gewalt	escalating violence
der Bankräuber (~)	bank robber
benachteiligt sein (5, gewesen)*	to be at a disadvantage
die Beute	haul, loot
die Chancengleichheit	equal opportunities
die Clique (n)	clique, group, gang
der Diebstahl (¨e)	theft
die Doppelverdiener	couple(s) with two incomes
der Drogenhandel	drug traffic, drug trade
erbeuten (3)	to capture
die Erziehung	upbringing
die Fahndung (en)	search
frauenfeindlich	anti-women
das Frauenwahlrecht	vote for women, female suffrage
gestehen (5, gestanden)	to confess

die Gewaltkriminalität	violent crime
die Handfeuerwaffe (n)	handgun
die häusliche Gewalt	domestic violence
hilflos	helpless
der Kampf gegen das Verbrechen	the battle against crime
das Kinderkriegen	childbearing
die Langeweile	boredom
leiden unter (5, gelitten)	to suffer from
der Missbrauch (ˆe)	abuse, sexual assault
die Perspektivlosigkeit	lack of prospects
die Regierung (en)	government
respektlos	disrespectful
die Strafe (n)	punishment, sentence
die Straßenbande (n)	street gang
die Sucht finanzieren (3)	to fund the addiction
überfallen (4)	to raid, assault, mug
die Vergewaltigung (en)	rape
vertrauen (3)	to trust
verurteilen (3)	to sentence
vieles gemeinsam haben (1)	to have a great deal in common
der Wert (e)	value
der Zeuge (n)	witness
das Ziel (e)	goal, aim

2 Specimen sentences

Gewaltkriminalität ist im letzten Jahr um 2% gefallen, dagegen ist der kriminelle Gebrauch von Handfeuerwaffen um 15% gestiegen.	Violent crime has fallen by 2% in the last year, but criminal use of handguns has risen by 15%.
Häusliche Gewalt ist immer noch ein großes Problem; jedes Jahr werden Tausende von Frauen von ihren Ehemännern, Freunden oder Mitgliedern ihrer Familie verletzt oder getötet.	Domestic violence is still a big problem; each year thousands of women are injured or killed by their husbands, boyfriends or other family members.
Millionen Frauen haben es erreicht, zu wählen, ein Haus, eine Wohnung oder ein Auto zu besitzen, sich zu bilden und sich eine Arbeit auszusuchen.	Millions of women have achieved the right to vote, to own a house, a flat or a car, to be educated and to choose a job.

Mütter im Teenager-Alter geben eher die Schule oder ihre Ausbildung auf als Mädchen, die mit dem Kinderkriegen warten.	Teenage mothers are more likely to give up their education than girls who have children later in life.
Für 36% der Kinder, deren Eltern bei der Geburt unverheiratet sind, wird noch von beiden Elternteilen gesorgt, wenn die Kinder 16 sind, verglichen mit 70% der Kinder bei verheirateten Paaren.	Thirty-six per cent of children born to unmarried parents are still cared for by both parents by the time the children are 16, compared with 70% of children born to married couples.

3 Specimen paragraph

Die Rolle des Mannes hat sich gewandelt. Männer sind heutzutage in weniger als einem Viertel aller Familien mit Kindern die alleinigen Verdiener. Bei einem Sechstel aller Doppelverdiener bekommt die Frau mehr als der Mann. Immer mehr Männer müssen bei der Hausarbeit helfen oder auf die Kinder aufpassen.	The role of men has changed. Nowadays men are the sole breadwinners in less than a quarter of families with children. In one sixth of couples with two incomes the woman earns more than the man. More and more men have to help with the housework or look after the children.

4 Essay titles

Nennen Sie fünf Bereiche, in denen sich die Situation für Frauen entscheidend verbessert hat. Nennen Sie mindestens drei Bereiche, in denen sie sich noch verbessern muss!

Viele Leute sprechen von einer Krise der Familie — haben sie Recht?

Bei welchen Fragen und Themen kommt es zwischen älteren und jüngeren Menschen zu Diskussionen, Streit oder gar Konflikten? Warum ist das so?

Geben Sie verschiedene Beispiele für Gewalt in unserer Gesellschaft. Wo liegen die Ursachen für die Gewalt, was könnte man gegen die Gewalt tun?

Viele kriminelle Straftäter sind jünger als 16 Jahre. Welche Art von Strafe wäre für diese Personengruppe geeignet? Oder brauchen Jugendliche in diesem Alter keine Strafe, sondern einfach nur Hilfe und Liebe?

G Health issues

1 Selected vocabulary

abwehren (1)	to ward off
der Alkoholiker (~)	alcoholic
sich anstecken (1)	to become infected
die Aufklärung	education/information about
ausgewogen	balanced
behandeln (3)	to treat
betroffen	affected
die Bewegung	exercise
einseitig	unbalanced
der Embryo (s/nen)	embryo
die Entziehungskur (en)	cure for drug addiction
erhöhen (3)	to increase
ermuntern (3)	to encourage
die Ernährungsberaterin (nen)	nutritionist
das Fertiggericht (e)	ready meal
die Fettleibigkeit	obesity
der Flüssigkeitsmangel	lack of liquid/dehydration
führen zu (1)	to lead to
gefährdet	at risk
harte Drogen	hard drugs
die Ernährung	nutrition
der Erwartungs-/Gruppendruck	peer pressure
körperlich	physical
die Krankheit (en)	disease
das Krebsrisiko	risk of cancer
qualmen (1)	to smoke, puff away
reichhaltig	rich in
schätzen (1)	to estimate
die sexuelle Aufklärung	sex education
stressig	stressful
süchtig machen (1)	to be addictive
die Tabakindustrie	tobacco industry
die Therapie (n)	therapy
das Übergewicht	obesity
die Untersuchung (en)	study
das Verbot (e)	ban

der Verkehrsunfall (¨e)	traffic accident
verzichten (3)	to do without, abstain from
voraussagen (1)	to predict
weiche Drogen	soft drugs

2 Specimen sentences

Übergewicht ist ein weltweites Phänomen, aber Großbritannien und Deutschland gehören zu den am meisten betroffenen Ländern.

Obesity is a world-wide phenomenon, but Great Britain and Germany are among the countries most affected by it.

Untersuchungen haben gezeigt, dass sogar weiche Drogen das Krebsrisiko erhöhen können.

Studies have shown that even soft drugs can increase the risk of cancer.

Im Gegensatz zu Alkohol und Tabak macht Cannabis körperlich nicht süchtig und kann bei der Behandlung bestimmter Krankheiten helfen.

Unlike alcohol and tobacco, cannabis is not physically addictive and can help in treating certain diseases.

Experten wissen schon lange, dass eine Ernährung, die reichhaltig an Obst und Gemüse ist, hilft, Krebs und Herzkrankheiten abzuwehren.

Experts have long known that a diet rich in fruit and vegetables helps to ward off cancer and heart diseases.

Letztes Jahr haben sich 6 Millionen Menschen mit dem HIV-Virus angesteckt und 3 Millionen sind an AIDS gestorben; Experten sagen einen Anstieg der HIV Infektionen um 40% binnen der nächsten drei Jahre voraus.

Last year 6 million people became infected with the HIV virus and 3 million died from AIDS; experts predict a 40% increase in HIV infections within the next 3 years.

3 Specimen paragraph

Wissenschaftler schätzen, dass Zigaretten jedes Jahr für mehr als 430.000 Todesfälle in den USA verantwortlich sind. Dennoch rauchen viele Leute, besonders Teenager. Die Tabakindustrie ist für ihre Rolle, insbesondere junge Leute zum Rauchen zu ermuntern, kritisiert worden.

Scientists estimate that cigarettes are responsible for more than 430,000 deaths in the United States each year. Despite this, many people still smoke, especially teenagers. The tobacco industry has been criticised for its role in encouraging smoking, particularly in young people.

4 Essay titles

Rauchen, ein umstrittenes Thema. Nennen Sie Gründe, die dafür und dagegen sprechen.

Alkohol gehört dazu, ist Tradition, Kultur, ein Stück Gesellschaft. Nehmen Sie kritisch Stellung.

Nennen Sie fünf Beispiele, wie man AIDS effektiv bekämpfen könnte.

Was ist Gesundheit? Ist jemand krank, der dick ist, keinen Sport treibt, raucht, regelmäßig Alkohol trinkt, Drogen nimmt?

In einigen Ländern sind oder werden weiche Drogen legalisiert. Was spricht für und gegen einen solchen Schritt?

H Media and culture

1 Selected vocabulary

ablenken (1)	to distract
abonnieren (3)	to subscribe to
die Ausstellung (en)	exhibition
die Berichterstattung (en)	news coverage
bewundern (3)	to admire
das Bildungsfernsehen	educational television
die breite Masse (n)	the masses
die Einschaltquote (n)	audience rating
die Fernsehanstalt (en)	television station
finanzieren (3)	to finance
die Flucht	escape
gewalttätig	violent
gründlich	thorough
die Hauptrolle (n)	leading part/role
die Hauptsendezeit (en)	prime time (television)
der Hörfunk	radio
sich identifizieren mit (3)	to identify (oneself) with
das Jugendzentrum (-zentren)	youth centre, youth club
künstlich	artificial
das Kunstwerk (e)	work of art
materialistisch	materialistic

mit Vorsicht genießen	to take with a pinch of salt
die Nachrichten	news programme
das Nachtprogramm	late-night television
die neuste Ausgabe (n)	the latest copy, edition
passieren (3)*	to happen
die Pressefreiheit	freedom of the press
raffiniert	sophisticated
Rat geben (2)	to give advice
die Sensationsnachricht (en)	sensational story
subventionieren (3)	to subsidise
die Tageszeitung (en)	daily newspaper
das Theaterstück (e)	play
die Vermarktung	commercialisation
der Videoclip (s)	video clip
die Vorstellung (en)	performance
die Wirklichkeit	reality
witzig	funny, humorous
Zeit verbringen (5, verbracht)	to spend time
zuverlässig	reliable

2 Specimen sentences

Das Bildungsfernsehen ist ins Nachtprogramm abgedrängt worden.

Educational television has been pushed into late-night spots.

Der Hörfunk ist in letzter Zeit durch die Einführung neuer Programme wieder attraktiver geworden.

Radio has become more attractive of late due to the introduction of new programmes.

Leider müssen viele Theater, Museen und Opernhäuser vom Staat subventioniert werden.

Unfortunately a lot of theatres, museums and opera houses have to be subsidised by the state.

Die Berichterstattung dieser Zeitung ist in der Regel gründlich und zuverlässig, nur die Sensationsnachrichten sollte man mit Vorsicht genießen.

The news coverage in this paper is usually thorough and reliable, only the sensational stories should be taken with a pinch of salt.

Ist es wahr, dass gewalttätige Sendungen zu aggressivem Verhalten bei Kindern führen, die diese Sendungen sehen?

Is it true that violent programmes can lead to aggressive behaviour in children who watch them?

3 Specimen paragraph

Stereotypen oder Klischeevorstellungen sind oft das Resultat von und führen zu Vorurteilen. Unkontrollierte Vorurteile können zu Diskriminierung und in Extremfällen zu Gewalt führen. Sprache, insbesondere Alltagssprache, wird oft benutzt um Mitglieder bestimmter Personengruppen zu erniedrigen. Wichtig ist es, das Stereotypen-Konzept zu begreifen und unangebrachtes Verhalten zu verurteilen, wenn es auftritt.

Stereotyping often results from and leads to prejudice. Unchecked prejudice can lead to discrimination and in extreme cases violence. Language, particularly slang, is often used to humiliate members of certain groups of people. It is important to understand the concept of stereotypes and to condemn inappropriate behaviour if it occurs.

4 Essay titles

Nennen Sie fünf Beispiele für einen positiven und einen negativen Einfluss des Fernsehens.

Bedeutet Pressefreiheit, dass alles im Fernsehen gezeigt und in Zeitungen geschrieben werden darf oder sollten bestimmte Dinge zensiert werden?

Gibt es zu viel oder zu wenig Werbung? Brauchen wir überhaupt Werbung? Wer profitiert von der Werbung, wem schadet sie?

Sind Sie mit dem kulturellen Leben in ihrer Region zufrieden? Was gefällt Ihnen gut, was könnte besser sein?

Beschreiben Sie einen deutschsprachigen Film, ein deutschsprachiges Theaterstück oder ein deutschsprachiges Buch. Gehen Sie insbesondere auf die Handlung, die Charaktere und die Intention ein.

The world of school and work

1 Selected vocabulary

die Abschaffung (en)	abolition, getting rid of
die Arbeitskraft (¨e)	labour force
arbeitslos	unemployed
die Arbeitslosenquote (n)	unemployment figure/level
Arbeitsplätze abbauen (1)	to cut jobs
der Ausbildungsplatz (¨e)	training vacancy

der Auszubildene (n)/Azubi (s)	trainee
die Berufsschule (n)	technical/vocational college
dazugehören (3)	to belong to
die Fachkraft (¨e)	skilled worker
das Gehalt (¨er)	salary
das Gewehr (e)	rifle
das Gewissen	conscience
die Green-Card-Regelung (en)	Green Card regulation
die Grundschule (n)	primary school
der Kindergarten (¨)	nursery
die Konjunktur	economic situation
der Konkurrenzkampf (¨e)	rivalry, competition
den Kriegsdienst verweigern (3)	to refuse military service
die Kündigung (en)	dismissal
eine Lehre machen (1)	to do an apprenticeship
der Lehrling (e)	apprentice
die Macht	power
nutzlos	useless
offene Stellen	vacancies
das Pflichtfach (-fächer)	compulsory subject
schließen (5, geschlossen)	to close
die Schulkantine (n)	school canteen
Stellen streichen (5, gestrichen)	to cut jobs
der Teilzeit-Job (s)	part-time job
die Überstunden	overtime
sich umschulen lassen (2)	to be retrained
die Verkürzung (en)	shortening
sich verwirklichen (3)	to fulfil oneself
das Wahlfach (-fächer)	option, optional subject
der Wehrdienst	military service
die Wehrpflicht	compulsory military service
sich wertlos fühlen (1)	to feel worthless
der Zivildienst	community service
zur Schule gehen (5, gegangen)*	to go to school

2 Specimen sentences

Als Lehrling erhält man eine praktische Berufsausbildung und nimmt am Unterricht in der Berufsschule teil.

As an apprentice you receive practical on-the-job training and take part in courses at a technical/vocational college.

Er ist schon einmal in der zehnten Klasse wegen seiner schlechten Noten sitzengeblieben.	He has already failed the tenth year once because of his poor marks.
Es wird immer wieder beklagt, dass die Anforderungen in der Schule zu hoch sind, was zu Stress und Konkurrenzkampf führt.	A common complaint is that too much is asked of pupils at school, which can lead to stress and rivalry.
Viele Arbeitnehmer in Ostdeutschland müssen sich umschulen lassen und einen neuen Beruf erlernen, weil sie wenig Chancen haben eine Stelle zu finden.	Many workers in East Germany have to be retrained and learn a new trade, because they have little chance of finding a job.
Die Regierung versucht die Zahl der Arbeitsplätze zu erhöhen, dennoch gibt es mehr Arbeitssuchende als offene Stellen.	The government is trying to increase the number of jobs, but there are still more people looking for work than there are vacancies.

3 Specimen paragraph

In Deutschland gehen die Kinder zuerst vier Jahre in die Grundschule und wechseln dann auf eine weiterführende Schule. Am Ende der Grundschule entscheiden die Schüler zusammen mit den Eltern und Lehrern über die weiterführende Schule: die Hauptschule (Klasse fünf bis neun), die Realschule (Klasse fünf bis zehn) oder das Gymnasium (Klasse fünf bis dreizehn).	In Germany children go to primary school for 4 years before moving on to an upper-school level. At the end of primary school, pupils decide together with parents and teachers about the different types of secondary school: the *Hauptschule* (year 5 to year 9), the *Realschule* (year 5 to year 10) and the *Gymnasium* (year 5 to year 13).

4 Essay titles

Nennen Sie wichtige Unterschiede zwischen dem deutschen und dem englischen Schulsystem.

Nennen Sie acht bis zehn Probleme, die viele arbeitslose Menschen haben. Welche Art von Ratschlag würden Sie einem arbeitslosen Freund geben?

Was ist an einem Beruf für Sie wichtig? Gehen Sie auf Faktoren wie Arbeitszeit, Gehalt, Kontakt mit Menschen, Computer, Reisen, Verantwortung, Urlaub, Druck… ein.

In Deutschland wird über die Einführung der Schuluniform und der Ganztagsschule nachgedacht. Sind das gute oder schlechte Ideen?

Glauben Sie, dass das deutsche System mit Wehrdienst und Zivildienst sinnvoll ist? Für welchen der Dienste würden Sie sich entscheiden, wenn Sie die Wahl hätten?

J Technology

1 *Selected vocabulary*

ablehnen (1)	to disapprove/reject
sich absondern (1)	to isolate oneself
adoptieren (3)	to adopt
der Benutzer (~)	user
sich bewegen (3)	to get some exercise
der Computervirus (-viren)	computer virus
die Dienstleistung (en)	service
digitales Fernsehen	digital television
einpflanzen (1)	to implant
entnehmen (5, entnommen)	to remove
ethisch	ethical
das Experiment (e)	experiment
die Fernbedienung (en)	remote control
der Fortbildungskurs (e)	in-service training course
das Gedächtnis	memory
genetisch	genetical
die Gen-Forschung	genetic research
gesundheitsschädlich	unhealthy
die Heilung (en)	healing
keinen Kontakt mehr haben (1)	to be out of touch
der Kinderschänder (~)	child molester
klonen (1)	to clone
das Klon-Verbot (e)	ban on cloning
der Konsens (e)	agreement, consent
die künstliche Befruchtung (en)	artificial insemination
die Lebensmittel	food
die Menschenwürde	human dignity
missbrauchen (3)	to abuse

recherchieren (3)	to investigate, look for
die Richtlinie (n)	guideline
schaffen (2)	to create
die Strahlung	radiation
die Suchmaschine (n)	search engine
überwachen (3)	to supervise, observe
unfruchtbar	infertile
verbieten (5, verboten)	to prohibit, forbid
zappen (1)	to channel-hop
die Zelle (n)	cell
zerstören (3)	to destroy
der Zugriff	access

2 Specimen sentences

Das Internet schafft mehr Arbeitsplätze als es zerstört und Angestellte von Internetfirmen verdienen dank stark steigender Gehälter mehr Geld.

The internet is creating more jobs than it is destroying and employees of internet companies are making more money thanks to a steep rise in salaries.

Es wird befürchtet, dass einige Leute, die Handys intensiv nutzen, an Krebs erkranken können.

It is feared that some heavy users of mobile phones could develop cancer.

Verbraucher wollen richtiges Essen und das Recht auf Information und freie Auswahl; deshalb müssen gentechnologisch erzeugte Lebensmittel getrennt angeboten und gekennzeichnet werden.

Consumers want to eat good food and to have the right to know and choose what they eat; therefore genetically engineered food has to be displayed separately and labelled.

Forscher sagen, dass das Klonen genetisch modifizierter Tiere als Quelle von Organen für Organtransplantationen dienen könnte.

Researchers say that clones of genetically modified animals might serve as a source of organs for human organ transplants.

Interaktives digitales Fernsehen ist das Zusammenkommen von Interaktivitäten wie beim Internet, dem traditionellen Fernsehprogrammangebot und einer Dienstleistungstechnologie.

Interactive digital television is the convergence of internet-like interactivity, traditional television programming and service technology.

3   *Specimen paragraph*

Benutzer des Internets erwarten Zugriff auf Informationen, die sie auswählen und nicht raffinierte Werbung. Normalerweise ermöglichen das größtenteils Suchmaschinen. Aber während eine Suchmaschine anfängt die Antworten zu sortieren, wird Werbung zum Thema gezeigt. Sehr oft sucht der Benutzer dann weiter: dadurch wird die Werbung jedem Benutzer angepasst.	Users of the internet expect to access information of their choosing, not sophisticated advertising. Normally search engines make this possible to a large extent. But while a search engine begins to tailor its responses, advertising based on the subject is shown. Very often the user will pursue the advert further, whereby the advertising becomes targeted to each user.

4   *Essay titles*

Zeigen Sie die Vorteile, Nachteile, Chancen, Möglichkeiten, Gefahren und Risiken des Mediums Internet auf.

Nennen Sie Bereiche, in denen wir von der Gentechnik profitieren (könnten). Gibt es auch Gefahren und Risiken?

Ist das Handy nur ein nützliches Kommunikationsmittel, oder ist es mehr? Gibt es auch Gründe, die gegen Handys sprechen?

Wissenschaftler schätzen, dass in 20 Jahren alles vom Fernseher aus gesteuert werden kann. Ist das Fortschritt, oder könnte das auch ein Schritt zurück oder in die falsche Richtung sein?

Nennen Sie fünf Beispiele, wie man älteren Menschen die Angst vor Computern nehmen und ihnen den Umgang mit PC und Internet zeigen kann.

K   The environment

1   *Selected vocabulary*

die Abgase	exhaust fumes
die Anlage (n)	plant/factory building
der Atommüll	nuclear waste
die Atomwaffen	nuclear weapons
bleifreies Benzin	unleaded petrol
die Blockade (n)	blockade

das Brennelement (e)	fuel element
erneuerbar	renewable
die globale Erwärmung	global warming
der Katalysator (en)	catalytic converter
das Kernkraftwerk (e)	nuclear power-station
die Klimaveränderung (en)	climatic change
das Kohlendioxid	carbon dioxide
die Lärmbelästigung (en)	noise pollution
der Niederschlag (¨e)	precipitation
die öffentlichen Verkehrsmittel	public transport
die Ökosteuer (n)	environmental tax
der Ölteppich (e)	oil slick
der Ozon-Wert (e)	ozone level
die Polargebiete	polar regions
profitieren von (3)	to benefit from
die Radioaktivität	radioactivity
der Rohstoff (e)	raw material
der Schadstoff (e)	harmful substance
schmelzen (5, geschmolzen)	to melt
der Smog	smog
die Stromversorgung	electricity/power supply
transportieren (3)	to transport, carry
der Treibhauseffekt	greenhouse effect
das Treibhausgas (e)	greenhouse gas
die Überschwemmung (en)	flooding
der Umweltschützer (~)	environmentalist
die Umweltverschmutzung	pollution
das Unwetter (~)	storm
verbrauchen (3)	to consume, use
vermindern (3)	to reduce
verunreinigen (3)	to pollute
verursachen (3)	to cause
sich wehren (1) gegen	to be opposed to
die Wiederaufbereitungsanlage (n)	recycling plant (nuclear waste)

2 | Specimen sentences

| Es wird geschätzt, dass die meisten Bäume an den Folgen der Umweltverschmutzung erkrankt sind. | Most trees are thought to have been affected by pollution. |

Ölteppiche verunreinigen Strände, töten Fische und Vögel und ruinieren touristische Regionen.	Oil slicks pollute beaches, kill fish and birds and ruin tourist areas.
Immer mehr Länder versuchen den Ausstoß ihrer Treibhausgase zu reduzieren.	More and more countries try to reduce their emissions of greenhouse gases.
Ich bin Mitglied einer Bürgerinitiative für Umweltschutz. Wir wehren uns gegen Atomwaffentests.	I'm a member of a local conservation group. We are opposed to the testing of nuclear weapons.
Recycling spart Energie, schützt die Umwelt und erhält Rohstoffe.	Recycling saves energy, protects the environment and conserves raw materials.

3 Specimen paragraph

Die neu geplante Autobahn ist sehr umstritten. Gegner sagen, dass sie den schönsten Teile der Landschaft zerstören wird. Befürworter glauben, dass die Industrieinteressen wichtiger sind und die Region von der neuen Autobahn profitieren wird.	The newly planned motorway is very controversial. Protesters say that it will destroy the most beautiful parts of the countryside. Supporters believe that the interests of industry are more important and that the region will benefit from the new motorway.

4 Essay titles

Wie könnte man in Großbritannien besser mit Müll umgehen? Nennen Sie Problembereiche und mögliche Lösungen.

Atomkraft, oder doch lieber Wasser, Sonne und Wind? Was spricht für und gegen die verschiedenen Energieformen?

Kilometerlange Staus auf den Autobahnen und verstopfte Stadtzentren — gibt es überhaupt echte Alternativen zum Auto?

Globale Erwärmung und saurer Regen — zeigen Sie Ursachen, Probleme und mögliche Lösungen auf.

Nennen Sie zehn Beispiele, wie man sich umweltbewusster verhalten könnte. Was für einen Effekt hätte das veränderte Verhalten?

UNIT Verbs

A The present tense

Regular verbs in the present tense are formed by using the infinitive stem + personal ending:

gehen: to go

ich	geh**e**	I go/I am going
du	geh**st**	you go (informal, singular)
er	geh**t**	he goes
sie	geh**t**	she goes
es	geh**t**	it goes
wir	geh**en**	we go
ihr	geh**t**	you go (informal, plural)
sie	geh**en**	they go
Sie	geh**en**	you go (formal, singular + plural)

Some verbs change their stem vowel in the *du* and *er/sie/es* forms. The stem vowel changes from *a* to *ä*:

waschen: to wash

ich	wasche	wir	waschen
du	w**ä**schst	ihr	wascht
er	w**ä**scht	sie	waschen
sie	w**ä**scht	Sie	waschen
es	w**ä**scht		

The stem vowel changes from *e* to *ie*:

sehen: to see

ich	sehe	wir	sehen
du	s**ie**hst	ihr	seht
er	s**ie**ht	sie	sehen
sie	s**ie**ht	Sie	sehen
es	s**ie**ht		

The stem vowel changes from *e* to *i*:

geben: to give

ich	gebe	wir	geben
du	g**i**bst	ihr	gebt
er	g**i**bt	sie	geben
sie	g**i**bt	Sie	geben
es	g**i**bt		

When the stem of the infinitive ends in *-chn, -d, -dn, -fn, -gn, -t* or *-tm*, the present tense is formed with the endings *-e, -est, -et, -en, -et, -en*.

The extra –e in the second and third person singular and in the second person plural helps pronunciation:

arbeiten: to work

ich	arbeite	wir	arbeiten
du	arbeit**est**	ihr	arbeit**et**
er	arbeit**et**	sie	arbeiten
sie	arbeit**et**	Sie	arbeiten
es	arbeit**et**		

When the stem of the infinitive ends in -s, -x or -z, no additional -s is required in the second person singular:

tanzen: to dance	**mixen:** to mix
du tanzt	du mixt

When the infinitive ends in -eln or -ern, the ending in the first and third persons plural is only -n instead of -en.

sammeln: to collect	**wandern:** to walk, hike
wir sammeln	wir wandern
sie/Sie sammeln	sie/Sie wandern

B Auxiliary verbs

It is vital to know the forms of the three auxiliary verbs inside out. They are called *Hilfsverben* in German, because they 'help' in forming tenses such as the present perfect or the future tense.

	sein: to be	**haben:** to have	**werden:** will
ich	bin	habe	werde
du	bist	hast	wirst
er/sie/es	ist	hat	wird
wir	sind	haben	werden
ihr	seid	habt	werdet
sie/Sie	sind	haben	werden

C Modal verbs

Modal verbs express relations between the doers of actions and the actions themselves. There are six modal verbs in German:

dürfen	expresses permission (to be allowed/permitted to, may)
können	expresses ability (to be able to, can)
mögen	expresses liking/disliking (to like to)
müssen	expresses necessity (to have to, must)
sollen	expresses obligation (to be supposed to, should)
wollen	expresses desire (to want to)

The singular present tense of modal verbs is irregular, the plural is regular. There are a few tips to remember the irregular forms. The first and third person singular are identical for all six modal verbs. The second person adds simply –*st*.

dürfen

ich	darf	wir	dürfen
du	darfst	ihr	dürft
er/sie/es	darf	sie/Sie	dürfen

können

ich	kann	wir	können
du	kannst	ihr	könnt
er/sie/es	kann	sie/Sie	können

mögen

ich	mag	wir	mögen
du	magst	ihr	mögt
er/sie/es	mag	sie/Sie	mögen

müssen

ich	muss	wir	müssen
du	musst	ihr	müsst
er/sie/es	muss	sie/Sie	müssen

sollen

ich	soll	wir	sollen
du	sollst	ihr	sollt
er/sie/es	soll	sie/Sie	sollen

wollen

ich	will	wir	wollen
du	willst	ihr	wollt
er/sie/es	will	sie/Sie	wollen

D The present perfect tense

The present perfect tense is the most common past tense form in conversational German. It is formed with an auxiliary verb (*haben* or *sein*) and the past participle of the main verb. This tense can correspond to either the simple past or the present perfect in English. As outlined in Unit 1A, it is useful to split the forms of the past participle up into five groups.

Group 1   kaufen ⟶ **ge**kauf**t**
Wir haben ein Haus gekauft.   We bought a house.

Group 2   sehen ⟶ **ge**sehen
Ich habe das Auto gesehen.   I saw the car.

Group 3   studieren ⟶ studier**t** (third person singular of the present tense)
Er hat in Hamburg studiert.   He studied in Hamburg.

Group 4   vergessen ⟶ vergessen (no change)
Sie hat ihren Schlüssel vergessen.   She has forgotten her key.

Group 5   trinken ⟶ **ge**trunken (irregular)
Mein Vater hat das Bier getrunken.   My father drank the beer.

The present perfect tense of some German verbs is formed with *sein* instead of *haben*. Such verbs usually denote a change of location or condition:

Ich bin nach Bonn gefahren.   I went to Bonn.

Er ist sehr früh aufgestanden.   He got up very early.

E The imperfect tense

The imperfect tense is sometimes called the simple past. It is used to relate a sequence of events. It appears primarily in written German, e.g. in novels, newspapers, magazines. It has very restricted use in conversational German.

There are basically three groups:

Group 1   No change in the stem
              ich mache ⟶ ich machte

   plus endings: *-te, -test, -te, -ten, -tet, -ten*

Group 2   Present tense stem with vowel change
              es brennt ⟶ es brannte

   or   new imperfect stem
          wir denken ⟶ wir dachten

   plus endings: *-te, -test, -te, -ten, -tet, -ten*

Group 3   Present tense stem with vowel change
              sie fangen ⟶ sie fingen

   or   new imperfect stem
          du leidest ⟶ du littst

   plus endings: *-, -(e)st, -, -en, -(e)t, -en*

Study these three examples:

	Group 1 **tanzen**	**Group 2** **rennen**	**Group 3** **fliegen**
ich	tanzte	rannte	flog
du	tanztest	ranntest	flogst
er/sie/es	tanzte	rannte	flog
wir	tanzten	rannten	flogen
ihr	tanztet	ranntet	flogt
sie/Sie	tanzten	rannten	flogen

The imperfect forms of the auxiliary verbs *sein, haben* and *werden* are not restricted to narration, however. They are freely used in German conversation. The imperfect forms of these verbs are irregular:

	sein	**haben**	**werden**
ich	war	hatte	wurde
du	warst	hattest	wurdest
er/sie/es	war	hatte	wurde
wir	waren	hatten	wurden
ihr	wart	hattet	wurdet
sie/Sie	waren	hatten	wurden

F The past perfect tense

The past perfect tense, also called the pluperfect tense, refers both in German and in English to a past event that occurred before another past event. It is formed like the present perfect but takes the imperfect form of the auxiliary verbs, *haben* or *sein*:

Ich war hungrig, denn ich hatte nichts gegessen.	I was hungry, because I had not eaten anything.
Wir fühlten uns müde, weil wir den ganzen Tag gelaufen waren.	We felt tired, because we had been walking all day.

	lernen (1)		**fahren** (2)	
ich	hatte	gelernt	war	gefahren
du	hattest	gelernt	warst	gefahren
er/sie/es	hatte	gelernt	war	gefahren
wir	hatten	gelernt	waren	gefahren
ihr	hattet	gelernt	wart	gefahren
sie/Sie	hatten	gelernt	waren	gefahren

G The future tense

The future tense is formed with the auxiliary verb *werden* and the infinitive of the main verb:

	schreiben	
ich	werde	schreiben
du	wirst	schreiben
er/sie/es	wird	schreiben
wir	werden	schreiben
ihr	werdet	schreiben
sie/Sie	werden	schreiben

In German, if it is clear that the future is intended — through an adverb or a prepositional phrase, which indicates time — the present rather than the future tense is used:

Wir kommen morgen an.	We will arrive tomorrow.
Sie kommen in einer Stunde an.	They'll arrive in an hour.

The future tense is used if the adverb or the prepositional phrase is not expressed:

Sie werden ihre Eltern besuchen.	They will visit their parents.

H The imperative mode

The form of a command depends upon the speaker's relationship to the person(s) being addressed. Just as there are three different forms of address (*Sie, ihr, du*), there are three corresponding imperative forms.

The formal or polite command (singular and plural) uses the *Sie* form, for one or more people. In English this is the same as addressing someone as Mr, Mrs or Doctor Bloggs to indicate respect or politeness:

Kommen Sie herein!	Come in!
Setzen Sie sich!	Sit down!
Frau Schmidt, erzählen Sie die Geschichte!	Mrs Schmidt, tell the story!
Meine Herren, bitte greifen Sie zu!	Gentlemen, please help yourself!

The familiar command uses *ihr* in the plural, for several people whom you would call by their first names. The pronoun *ihr* is dropped:

Kommt herein!	Come in!
Setzt euch!	Sit down!
Lisa, Tom, holt die Getränke!	Lisa, Tom, get the drinks!
Singt lauter bitte!	Sing louder, please!

The familiar command uses *du* in the singular, for one person whom you would call by their first name. The pronoun *du* and the *-en* of the infinitive are dropped:

Komm herein!	Come in!
Setz dich!	Sit down!
Paul, geh in die Schule!	Paul, go to school!
Bitte kauf das Auto!	Please buy the car!

The passive voice

In the passive voice the subject of the sentence is the receiver rather than the doer of the action expressed by the verb. It is used to emphasise the process or activity rather than the doer or the cause of the activity.

Active
Der Lehrer fragt den Schüler.   The teacher asks the student.
 (subject)   (object)

Passive
Der Schüler wird von dem Lehrer gefragt.   The student is asked by the teacher.
 (subject)   (object)

The present tense passive in German uses the present tense of the verb *werden*; in English it uses the present tense of the verb 'to be'. In both languages the past participle of the main verb is used:

Der Junge wird von seinem   The boy is picked up by
Vater abgeholt.   his father.

The doer or agent was the subject of the active sentence. In the passive it is preceded either by *von* or *durch*.

If it is a personal agent it is preceded by *von* and is in the dative case:

Die Erde wird von den Menschen   The earth is destroyed by
zerstört.   human beings.

If the agent is the means by which something is done it is preceded by *durch* and is in the accusative case:

Die Erde wird durch die Stürme zerstört.	The earth is destroyed by the storms.

Many passive sentences in German do not express an agent. The doer of the action in the active sentence is simply dropped in the passive sentence:

Active

Der Mann repariert die Tür.	The man repairs the door.

Passive

Die Tür wird repariert.	The door is repaired.

To form the other tenses in the passive voice the verb *werden* is used in the appropriate tense, together with the past participle of the main verb.

IMPERFECT PASSIVE

Das Problem **wurde** schnell gelöst. *(imperfect of werden)*	The problem was quickly solved.

PRESENT PERFECT AND PLUPERFECT PASSIVE

Unlike in active present perfect tense sentences, only the auxiliary verb *sein* is used in the formation of the present perfect and pluperfect passive. The past participle of *werden* is *geworden*; however, the *ge-* prefix is dropped in these tenses.

Active

Der Arzt hat das Auto gekauft.	The doctor has bought the car.
Die Frau hatte das Kind gerettet.	The woman had saved the child.

Passive

Das Auto ist vom Arzt gekauft worden.	The car has been bought by the doctor.
Das Kind war von der Frau gerettet worden.	The child had been saved by the woman.

FUTURE PASSIVE

The future passive is formed by the present tense of *werden*, the past participle of the main verb and *werden*.

Active

Mein Bruder wird mich besuchen.	My brother will visit me.

Passive

Ich werde von meinem Bruder besucht werden.	I will be visited by my brother.

J The subjunctive

The subjunctive is used to make a hypothetical statement, to express a wish that is not likely to be fulfilled, to make polite requests or to quote indirectly what another person has said.

The endings are: *-e, -est, -e, -en, -et, -en*

There are five types of subjunctive:

Present subjunctive (*Konjunktiv 1*):	rarely used
Future subjunctive (*Konjunktiv 1*):	very rarely used
Perfect subjunctive (*Konjunktiv 2*):	sometimes used
Imperfect subjunctive (*Konjunktiv 2*):	often used
Pluperfect subjunctive (*Konjunktiv 2*):	often used

PRESENT SUBJUNCTIVE

The present subjunctive is formed with the infinitive stem plus the subjunctive endings:

ich	lebe	wir	leben
du	lebest	ihr	lebet
er/sie/es	lebe	sie/Sie	leben

Lang lebe der König!	Long live the king!

The verb *sein* is the only exception. It has six irregular forms:

ich	sei	wir	seien
du	seist	ihr	seiet
er/sie/es	sei	sie/Sie	seien

Seien Sie bitte still!	Please be quiet!

FUTURE SUBJUNCTIVE

The future subjunctive is formed with the present subjunctive of *werden* and the infinitive of the main verb:

Er werde fahren.	He might be going.

PERFECT SUBJUNCTIVE

The perfect subjunctive is formed with the present subjunctive of either *haben* or *sein* and the past participle of the main verb.

Er sagt, er habe seine Hausaufgaben gemach.	He says he has done his household chores.
Sie sagt, sie sei sofort nach Hause gegangen.	She says she went straight home.

IMPERFECT SUBJUNCTIVE

As with the imperfect indicative, it is useful to differentiate between three groups.

Group 1

In the first group the imperfect indicative is identical to the imperfect subjunctive:

Imperfect indicative

Ich lebte gern in Berlin.	I liked living in Berlin.

Imperfect subjunctive

Ich lebte gern in Berlin.	I would like to live in Berlin.

This can be confusing. Therefore, if a verb from the first group is used in the subjunctive, the conditional with *würde* is generally used instead. Thus the intention of the speaker becomes clear:

Ich würde gern in Berlin leben.	I would like to live in Berlin.

Group 2

In the second group the verbs *brennen*, *kennen*, *nennen*, *rennen*, *senden* and *wenden* use the third person singular present tense plus the subjunctive endings:

Die Kerze brenn**te**.	The candle would burn.
Ich send**ete** etwas.	I would send something.

Group 3

In the third group the subjunctive endings are added to the imperfect stem. Those verbs containing the vowels *a, o, u* in the imperfect stem add an umlaut:

Er ginge nach Hause.	He would go home.
Wir k**ä**men am Freitag.	We would come on Friday.
Ich f**ü**hre nach England.	I would go to England.
Wir h**ä**tten kein Geld.	We wouldn't have any money.
W**ä**ret ihr dort?	Would you be there?

PLUPERFECT SUBJUNCTIVE

The pluperfect subjunctive is formed with the imperfect subjunctive of the auxiliary verbs *haben* or *sein* and the past participle of the main verb. It corresponds to the English had + past participle or the English past conditional would + have + past participle. Very often it is used with hypothetical statements.

Wenn sie nur gegessen hätte.	If only she had eaten.
Wäre er krank gewesen, hätte er nicht gespielt.	If he had been ill he wouldn't have played.

K The infinitive

The infinitive is the part of the verb listed in a dictionary. It means 'to...'.

Examples

trinken	to drink
sein	to be

In German the infinitive can be used with or without *zu*.

1 *The infinitive without* zu

The infinitive is used without *zu*:

(a) In conjunction with modal verbs:

Er will Fußball spielen.	He wants to play football.
Sie muss schnell gegessen haben.	She must have eaten quickly.
Sie dürfen hier nicht rauchen.	You are not allowed to smoke here.

(b) After *bleiben*, *finden* and *haben* when followed by a verb indicating position:

Das Auto blieb plötzlich stehen.	The car suddenly stopped.
Wir fanden den Hund im Bett liegen.	We found the dog lying in bed.

(c) After certain verbs of motion, e.g. *fahren*, *gehen*, *kommen*. The verb in the infinitive describes the reason for going:

Ich gehe jetzt duschen.	I am going to take a shower.
Ich fahre jetzt einkaufen.	I am going shopping now.

(d) After *lassen* (in the sense of somebody doing something for you):

Wir ließen unseren Wohnwagen streichen.	We had our caravan painted.

(e) After some verbs of perception, e.g. *hören*, *sehen*:

Ich hörte sie arbeiten.	I heard them work.
Wir sahen ihn spielen.	We saw him play.

2 *The infinitive with* zu

Zu + infinitive is found at the end of a clause:

Es ist wunderbar hier zu sein.	It is wonderful to be here.

If the verb in the infinitive is a separable verb, the *zu* is inserted between the separable prefix and the verb:

Er hat versprochen den Brief abzuschicken.	He has promised to post the letter.

The infinitive is used with *zu*:

(a) After certain prepositions, e.g. *um...zu*, *anstatt...zu*:

Sie ist zu betrunken um ihr Auto zu fahren.	She is too drunk to drive her car.
Sie sieht fern anstatt den Hund zu füttern.	She is watching television instead of feeding the dog.

(b) After certain verbs, e.g. *brauchen*, *haben*, *scheinen*:

Wir brauchen nicht zu bleiben.	We don't need to stay.
Ihr habt viel zu wiederholen.	You have a lot to revise.
Er scheint müde zu sein.	He seems to be tired.

(c) After certain adjectives, e.g. *einfach*, *leicht*, *schwer*:

Die Geschäfte sind einfach zu finden.	The shops are easy to find.
Dieses Problem ist leicht zu lösen.	This problem is easy to solve.
Deine Frage ist schwer zu beantworten.	Your question is hard to answer.

(d) In comparative phrases:

Es ist besser im Bett zu bleiben, als im Regen spazieren zu gehen.	It is better to stay in bed than to walk in the rain.

UNIT 3 Other grammar items

A Nouns, articles and cases

1 Nouns and articles

Nouns have three different genders in German: masculine, feminine and neuter. They are used with the definite article 'the' and the indefinite article 'a'. For example:

	Masculine	Feminine	Neuter
Definite article	der Vater	die Mutter	das Kind
Indefinite article	ein Vater	eine Mutter	ein Kind

PLURALS OF NOUNS

Die is the article used with plurals of all genders. There is no plural for 'a' — but you could use *viele* ('many'). Most plural forms of German nouns follow one of the patterns in the table below. The changes are highlighted in bold.

Word ends in...	-e	-el, -en, -er	Other endings
Masculine	Riese ⟶ Riese**n**	Apfel ⟶ **Ä**pfel Wagen ⟶ Wagen Teller ⟶ Teller	Tag ⟶ Tag**e**
Feminine	Küche ⟶ Küche**n**	Schüssel ⟶ Schüssel**n**	Frau ⟶ Frau**en**
Neuter	—	Siegel ⟶ Siegel Becken ⟶ Becken Zimmer ⟶ Zimmer	Buch ⟶ B**ü**cher Jahr ⟶ Jahr**e**

While some of these rules help to predict how a noun forms its plural there are still quite a few exceptions, which is why you need to learn your vocabulary carefully.

Common exceptions
der Park ⟶ die Parks (noun of foreign origin)
die Mutter ⟶ die Mütter
das Drama ⟶ die Dramen (noun of foreign origin)

2 Cases

In German the definite and indefinite articles change their endings according to the position and function of the noun in the sentence. There are four different cases that you need to use: nominative, accusative, dative and genitive.

Nouns that are the subjects, or 'doers', of the verb take the **nominative case**, shown here in bold:

Der fleißige Vater kocht.   **Ein fleißiger Vater** kocht.
Die alte Mutter spielt mit dem Kind.   **Eine alte Mutter** spielt mit dem Kind.
Das müde Kind schreit.   **Ein müdes Kind** schreit.

The following verbs are followed by the nominative case:

bleiben: to remain
Du bleibst mein Freund.   You remain my friend.

heißen: to be called
Sie heißt Frau Walter.   She is called Ms Walter.

sein: to be
Sie ist meine Freundin.   She is my girlfriend.

werden: to become
Er wird ein guter Lehrer.   He is becoming a good teacher.

PREPOSITIONS

In German, nouns that follow prepositions always change their case from the nominative. Prepositions, often called **trigger words**, change the case of the noun to the accusative, the dative and sometimes to the genitive, as shown in the examples below.

Accusative
Er geht **durch** den Bahnhof.   He is walking through the train station.
der Bahnhof ⟶ den Bahnhof

Dative
Sie kommt **aus** der Schule.   She is coming from school.
die Schule ⟶ der Schule

Genitive
Der Turm ist **jenseits** des Sees.   The tower is on the other side of the lake.
der See ⟶ des Sees

Prepositions with articles
The following section is an overview of prepositions, the case they take and their effect on the articles that follow them. You should also be aware of the following:

Ein-**word noun modifiers** — *mein, dein, sein, ihr, unser, euer, kein* — take the same endings as *ein* in the tables overleaf.

Example
Ich wasche **die** schmutzigen Hemden.   I am washing the dirty shirts.
Ich wasche **seine** schmutzigen Hemden.   I am washing his dirty shirts.

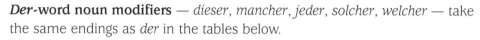

Der-word noun modifiers — *dieser, mancher, jeder, solcher, welcher* — take the same endings as *der* in the tables below.

Example

| Sie kennt **den** großen Mann. | She knows the tall man. |
| Sie kennt **diesen** großen Mann. | She knows this tall man. |

Accusative

The prepositions that take the accusative are: *bis, durch, für, gegen, ohne, um.*

	Masculine	Feminine	Neuter	Plural
Definite article	den	die	das	die
Indefinite article	einen	eine	ein	viele

Dative

The prepositions that take the dative are: *aus, außer, bei, gegenüber, mit, nach, seit, von, zu.*

	Masculine	Feminine	Neuter	Plural
Definite article	dem	der	dem	den
Indefinite article	einem	einer	einem	vieler

Genitive

The prepositions that take the genitive are: *anstatt, statt, innerhalb, oberhalb, unterhalb, außerhalb, diesseits, jenseits, trotz, während, wegen, um...willen.*

	Masculine	Feminine	Neuter	Plural
Definite article	des	der	des	der
Indefinite article	eines	einer	eines	vieler

Accusative or dative?

The following prepositions can take either the accusative or the dative: *an, auf, hinter, in, neben, über, unter, vor, zwischen, entlang.*

The **accusative** case is used when the verb and preposition express a movement or direction towards a place, or a change of place. The **dative** is used when the verb expresses motion within a fixed location.

Accusative

| Ich springe **in** den Fluss. | I am jumping into the river. |
| der Fluss ⟶ den Fluss | |

Dative

| Ich schwimme **im (= in dem)** Fluss. | I am swimming in the river. |
| der Fluss ⟶ dem Fluss | |

IF THERE IS NO PREPOSITION

If there is no trigger word the following rules apply:

Accusative

The **direct object of the verb** (the noun to which the action is being done) is used in the accusative case:

Er kauft **den kleinen Wagen.**	He buys the small car.
Er kauft **einen kleinen Wagen.**	He buys a small car.

Dative

The **indirect object of the verb** is used in the dative case. In English the indirect object often follows the prepositions 'to' and 'for'.

Sie kauft **ihrem kleinen Sohn** ein Boot.	She is buying a boat for her small son.
Er holt **seinem kleinen Kind** ein Eis.	He gets his little child an ice-cream. (He is getting an ice-cream for his little child.)

Genitive

The genitive case is used to show possession or relationships between two nouns. In English this is expressed by the preposition 'of' or with an apostrophe 's'.

Sie kauft das Haus des netten Nachbarn.	She is buying the kind neighbour's house.
Die Seiten des Buches sind schmutzig.	The pages of the book are dirty.

Verbs followed by the dative

There are many verbs in German that are followed by the dative case. Some are frequently followed by the dative case, others are always followed by the dative.

Verbs always followed by the dative:

danken: to thank (for)
Ich danke ihm für das Geschenk.	I thank him for the present.

gefallen: to like
Das alte Haus gefällt seiner Frau.	His wife likes the old house.

gehören: to belong to
Das neue Auto gehört mir.	The new car belongs to me.

helfen: to help
Wir helfen ihr bei der Arbeit.	We help her with the work.

Verbs frequently followed by the dative:

antworten: to answer
Ich antworte dem Lehrer.	I answer the teacher.

bringen: to bring
Ich bringe ihnen die Blumen.	I bring them the flowers.

folgen: to follow
Er folgt dem Krankenwagen.	He is following the ambulance.

geben: to give
Wir geben dem Hund eine Wurst.   We are giving a sausage to the dog.

holen: to get
Ich hole den Gästen den Schlüssel.   I am getting the key for the guests.

kaufen: to buy
Sie kaufen ihrer Oma eine Kerze.   They are buying a candle for their grandmother.

sagen: to say
Du sagst deinem Vater die Wahrheit.   You are telling your father the truth.

schicken: to send
Ich schicke euch etwas Geld.   I am sending you some money.

trauen: to trust
Er traut nur seinem Kollegen.   He only trusts his colleague.

zeigen: to show
Ich zeige dem Besucher das Haus.   I show the house to the visitor.

Verbs beginning with *bei-*, *ent-*, *entgegen-*, *nach-*, *wider-* and *zu-* usually take the dative:

beitreten: to join
Er tritt der Grünen Partei bei.   He is joining the Green Party.

entkommen: to escape
Sie entkam der Polizei.   She escaped the police.

entgegenkommen: to come towards
Er kam mir entgegen.   He came towards me.

nachlaufen: to run after
Die Katze läuft mir nach.   The cat is running after me.

widersprechen: to contradict
Er widerspricht dem Richter.   He is contradicting the judge.

zuhören: to listen to
Wir hören dem Chor zu.   We are listening to the choir.

B Adjectives

In German, adjectives that are placed **after** the nouns they describe do not change:

Der Stuhl ist alt.   The chair is old.

As you will have seen in the examples in the previous section, however, an adjective **preceding** a noun always takes an ending. The ending is determined by the number, gender and case of the noun it modifies, as shown in the following examples.

Nominative singular

Der alt**e** Stuhl ist kaputt.   The old chair is broken.

Nominative plural

Die alt**en** Stühle sind kaputt.   The old chairs are broken.

Accusative singular

Ich kaufe den alt**en** Stuhl.   I buy the old chair.

1 Predicate adjectives

When the adjective follows the noun and any form of the verbs *bleiben*, *sein* or *werden* it is used as a so-called **predicate adjective**. Predicate adjectives **do not** receive endings. However, if the adjective comes before the noun and verb, normal adjective endings are added.

Das Essen ist heiß.   **But:**   Das heiße Essen ist fertig.
Der Tee wird schon kalt.   **But:**   Der kalte Tee wird dir nicht schmecken.
Mein Chef bleibt gelassen.   **But:**   Mein gelassener Chef bleibt zu Hause.

In summary, the adjective ending depends upon:

the gender and case of the noun it describes
or
the type of word (trigger word) that it follows

Gender of the noun

Ich kaufe **ein neues Haus** und **einen neuen Wagen**.
          (neuter)   *(masculine)*

Case of the noun

Der englische Gast gibt **dem anderen englischen** Gast den Schlüssel.
(nominative)   *(dative)*

Trigger word

Sie freut sich **über den neuen** Fernseher.
          (über = *dative)*

2 Adjective tables

The following tables set out the endings you need to know in order to use adjectives effectively in German.

ADJECTIVES USED WITH *DER*-WORDS

	Singular			*Plural*
	Masculine	**Feminine**	**Neuter**	**All genders**
Nominative	der neue	die neue	das neue	die neuen
Accusative	den neuen	die neue	das neue	die neuen
Genitive	des neuen	der neuen	des neuen	der neuen
Dative	dem neuen	der neuen	dem neuen	den neuen

Examples

Nominative masculine:	Der neue Chef ist wirklich gut.
Accusative neuter:	Ich kann das neue Auto sehen.
Genitive plural:	Wegen der neuen Lieder singt er.
Dative feminine:	Ich höre der neuen Lehrerin zu.

ADJECTIVES USED WITH *EIN*-WORDS

	Singular			*Plural*
	Masculine	**Feminine**	**Neuter**	**All genders**
Nominative	ein kleiner	eine kleine	ein kleines	kleine
Accusative	einen kleinen	eine kleine	ein kleines	kleine
Genitive	eines kleinen	einer kleinen	eines kleinen	kleiner
Dative	einem kleinen	einer kleinen	einem kleinen	kleinen

Examples

Nominative plural:	Kleine Häuser sind beliebt.
Accusative feminine:	Wir kaufen eine kleine Hütte.
Genitive neuter:	Trotz eines kleinen Gewitters sang er.
Dative masculine:	Er spricht mit einem kleinem Akzent.

ADJECTIVE ENDINGS WITHOUT ARTICLE OR MODIFIER

Adjectives that do not follow a definite or indefinite article, a *der*-word or an *ein*-word take the following endings:

	Singular			*Plural*
	Masculine	**Feminine**	**Neuter**	**All genders**
Nominative	alter	alte	altes	alte
Accusative	alten	alte	altes	alte
Genitive	alten	alter	alten	alter
Dative	altem	alter	altem	alten

Examples

Nominative masculine:	Alter Wein ist wie Gold.
Accusative neuter:	Esst ihr viel braunes Brot?
Genitive plural:	Trotz alter Freunde ist er einsam.
Dative feminine:	Sie stammt aus alter Familie.

ADJECTIVES THAT TAKE THE DATIVE

Some adjectives are followed by the dative case. They usually follow the noun they govern. Here are some examples:

ähnlich: similar
Ich sehe ihm ähnlich.   I look similar to him.

bekannt: known to
Es ist dem Studenten bekannt.   It is known to the student.

klar: obvious
Es ist der Polizei klar.   It is obvious to the police.

ADJECTIVES THAT TAKE THE GENITIVE

A number of adjectives are followed by the genitive case. For example:

bewusst: conscious/aware of
Sie ist sich ihres Fehlers bewusst.   She is aware of her mistake.

fähig: capable of
Er ist eines Mordes fähig.   He is capable of murder.

C Adjectives and adverbs

The only distinction between adjectives and adverbs in German is whether they describe a noun or a verb:

Adjective
Er ist **ein guter Fußballspieler**.   He is a good footballer.
Das war **eine schnelle Antwort**.   That was a quick answer.

Adverb
Er spielt gut Fußball.   He plays football well.
Sie **antwortete schnell**.   She answered quickly.

1 Comparison

Adjectives and adverbs can express three levels of comparison: positive (comparison of equality), comparative and superlative.

POSITIVE

Adjective: Er ist ein vorsichtiger Fahrer.   He is a careful driver.
Adverb: Er fährt vorsichtig.   He drives carefully.

COMPARATIVE

Both adjectives and adverbs can be used to make comparisons in German.

Comparative adjectives

In German the comparative is formed by adding -er to the adjective:

Das neue Auto ist kleiner.   The new car is smaller.
Das neue Buch ist interessanter.   The new book is more interesting.

Comparative adverbs

In English the word 'more' is always used as the comparative form of adverbs. But in German the comparative is formed by adding -er to the adverbs.

Adjective: Sie ist eine sicherere Fahrerin   She is a safer driver than her
             als ihr Mann.   husband.

Adverb: Sie fährt sicherer als ihr Mann.   She drives more safely than
                                                her husband.

Irregularities

Some adjectives change their stem in the comparative. They add an umlaut or drop the *e* or the *c*:

alt ⟶ älter   old ⟶ older
jung ⟶ jünger   young ⟶ younger
teuer ⟶ teurer   expensive ⟶ more expensive
hoch ⟶ höher   high ⟶ higher

SUPERLATIVE

Adjectives

In German the superlative is formed by adding -st or -est to the adjective. The superlative form *am -(e)sten* is used with predicate adjectives, i.e. those that follow the verbs *sein*, *werden* and *bleiben*.

Ich möchte das größte Haus.   I would like the biggest house.
Wir hatten die kürzeste Pause.   We had the shortest break.
Sie ist am kleinsten.   She is the smallest.

Adverbs

The superlative form *am -(e)sten* is always used as the superlative of adverbs.

Adjective: Wir sind die schnellsten Köche.   We are the quickest chefs.

Adverb: Wir kochen am schnellsten.   We cook the most quickly.

Irregularities

Some adjectives change their stem in the superlative. They add an umlaut or a *c*:

hart →	härter →	härtest-/am härtesten	hard →	harder →	hardest
nah →	näher →	am nächsten	near →	nearer →	nearest

Some adjectives and adverbs have irregular comparative and superlative forms:

gut →	besser →	best-/am besten	good →	better →	best
viel →	mehr →	meist-/am meisten	much →	more →	most

2 Adverbs with no corresponding adjective

Many German adverbs do not have a corresponding adjective form. There are three groups of such adverbs, referring to either time, manner or place.

Adverbs referring to time
bald: soon   Wir sind bald zu Hause.
jetzt: now   Jetzt ist es zu spät.
oft: often   Ich bin oft erkältet.

Adverbs referring to manner
gern: gladly, like to   Ich helfe gern.
nicht: not   Wir sind nicht zufrieden.
ziemlich: rather   Es ist ziemlich kalt.

Adverbs referring to place
dort: there   Dort drüben brennt es.
hier: here   Sie war wirklich nicht hier.
weg: away   Jetzt sind alle Würstchen weg.

D Word order

1 Statements

In German statements the main verb (conjugated verb) is always the second component of the sentence:

Die deutsche Sprache **macht** mir große Probleme.
Das **ist** keine Überraschung.

2 Questions

There are two main types of questions:

(a) Questions that start with a question word:

Was machst du am Wochenende?
question word + verb + subject

(b) Questions that start with a verb:

Hast du schon Pläne fürs Wochenende?
verb + subject

3 *Imperative mode*

In commands (imperative mode) the verb is the first component:

Trinken Sie das Bier aus, bitte!
Trinkt eure Gläser aus, bitte!
Trink bitte nicht so viel Wein!

4 *Subordinating conjunctions and relative pronouns*

Subordinating conjunctions and relative pronouns send the conjugated verb to the last position; all other elements remain in the same position:

Ich finde das gut, weil viele Leute Geld spenden.
Die Frau, die für die Feier verantwortlich ist, sieht sehr zufrieden aus.

5 *Conditional sentences*

Conditional sentences express either real or contrary-to-fact conditions. When the sentence starts with *wenn*, the two conjugated verbs always appear on either side of the comma:

Wenn ich ihn **sähe**, **wäre** ich sehr froh.
Wenn Sie das Auto kaufen **möchten**, **rufe** ich den Geschäftsführer.

6 *Direct and indirect objects*

When a verb has a direct and an indirect object the following rules apply:

Two nouns
Ich kaufe meiner Frau einen Ring.
Indirect object + direct object

Sometimes the order can be changed for emphasis:

Einen Ring kaufe ich meiner Frau.

One noun, one pronoun

The pronoun comes first:

Ich kaufe ihn meiner Frau.
Direct object = pronoun, indirect object = noun

When the indirect object is a pronoun it comes first:

Ich kaufe ihr den Ring.
Indirect object = pronoun, direct object = noun

Two pronouns

When both objects are pronouns, either object can precede the other:

Ich kaufe ihr ihn.
or
Ich kaufe ihn ihr.

7 Time, manner, place

Many sentences contain expressions relating to the time, manner and place of an action. Normally these expressions appear in that order (t-m-p):

Ich gehe heute (t) zu Fuß (m) ins Kino (p).

Usually more general time expressions (tg) precede more specific ones (ts):

Er fährt morgen Nachmittag (tg) gegen 3 Uhr (ts) mit dem Auto nach Hamburg.

E Pronouns

1 Personal pronouns

In German there are three personal pronouns for 'you', which you need to learn.

All pronouns change in the accusative and dative case. **Accusative** personal pronouns are generally used when they are the **direct object** of the verb, **dative** personal pronouns when they are the **indirect object** of the verb.

Nominative		Accusative		Dative	
ich	I	mich	me	mir	me
du	you	dich	you	dir	you
er	he, it	ihn	him, it	ihm	him, it
sie	she, it	sie	her, it	ihr	her, it
es	it	es	it	ihm	it

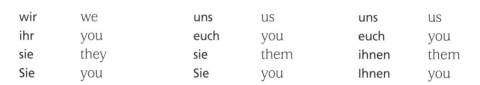

wir	we	uns	us	uns	us
ihr	you	euch	you	euch	you
sie	they	sie	them	ihnen	them
Sie	you	Sie	you	Ihnen	you

Nominative
Ich besuche meinen Vater.   I visit my father.

Accusative
Die Tochter besucht ihn.   The daughter visits him.

Dative
Die Tochter kauft ihm ein Geschenk.   The daughter buys him a present.

2 Interrogative pronouns

Interrogative pronouns, such as *wann* ('when'), *warum* ('why') or *wo* ('where'), introduce questions. The pronoun *wer* has different forms in the various cases:

Nominative
wer: who   Wer ist das?   Who is that?

Accusative
wen: whom   Wen hast du getroffen?   Whom did you meet?

Dative
wem: whom   Mit wem spielst du?   With whom are you playing?

Genitive
wessen: whose   Wessen Uhr ist das?   Whose watch is that?

3 Possessive pronouns

Possessive pronouns have the same endings as the indefinite article (*ein*-words) and are determined by the noun they modify, not by the possessor.

mein	my	unser	our
dein	your	euer	your
sein	his	ihr	their
ihr	her	Ihr	your (singular and plural formal)
sein	its		

Wir haben unser altes Haus gekauft.   We have bought our old house.

4 Relative pronouns

Relative pronouns introduce relative clauses. These modify a noun, for example an object or a person. A relative clause is a part of a sentence that relates back to another part or clause. For example: The woman **who bought the car** was my friend's mother. In English, the words 'who' or 'whom' are used in the second part of the sentence to relate back to the noun in the first clause.

In German, the word used depends on the case, gender and number of the noun being used. Relative pronouns also change the word order of a sentence; they come after a comma and the verb in that part of the clause moves to the end of the clause: *Die Frau,* ***die den Wagen gekauft hat****, war die Mutter meines Freundes.*

	Masculine	**Feminine**	**Neuter**	**Plural**
Nominative	der	die	das	die
Accusative	den	die	das	die
Genitive	dessen	deren	dessen	deren
Dative	dem	der	dem	denen

Nominative masculine
Walter wohnt in Berlin. Walter (nom. masc.) ist sehr nett. ⟶ Walter, **der** sehr nett ist, wohnt in Berlin.

Nominative feminine
Kennst du die Frau? Sie (nom. fem.) steht dort drüben. ⟶ Kennst du die Frau, **die** dort drüben steht?

Accusative neuter
Das Auto ist sehr schön. Wir wollen das Auto (acc. neu.) kaufen. ⟶ Das Auto, **das** wir kaufen wollen, ist sehr schön.

RELATIVE CLAUSES WITH PREPOSITIONS

Accusative plural
Das sind die Gäste. Ich habe **für** sie (acc. pl.) gekocht. ⟶ Das sind die Gäste, **für die** ich gekocht habe.

Dative masculine
Dort wohnt Rudi. Ich habe Angst **vor** ihm (dat. masc.). ⟶ Dort wohnt Rudi, **vor dem** ich Angst habe.

RELATIVE CLAUSES WITHOUT PREPOSITIONS

Dative neuter
Das Mädchen hat es vergessen. Ich habe ihr (dat. neu.) Geld gegeben. ⟶ Das Mädchen, **dem** ich Geld gegeben habe, hat es vergessen.

Genitive feminine
Dort ist meine Oma. Ich habe den Ring meiner Oma (gen. fem.) gefunden. ⟶ Dort ist meine Oma, **deren** Ring ich gefunden habe.

Genitive plural

Ich treffe meine Freunde. Ich brauche die Ratschläge meiner Freunde (gen. pl.).

⟶ Ich treffe meine Freunde, **deren** Ratschläge ich brauche.

F Conjunctions

There are two types of conjunctions, **coordinating** and **subordinating**.

1 Coordinating conjunctions

These connect two independent clauses without affecting the word order. Both clauses use the word order they would have as independent clauses:

Spielen Sie heute Tennis? Gehen Sie heute ins Kino? ⟶ Spielen Sie heute Tennis, oder gehen Sie heute ins Kino?

The five most common coordinating conjunctions in German are:

aber: but	Ich bleibe zu Hause, aber sie geht ins Kino.
denn: for	Ich bleibe zu Hause, denn ich bin sehr krank.
oder: or	Soll ich im Bett bleiben, oder soll ich zum Arzt gehen?
sondern: but rather/instead	Sie geht nicht ins Kino, sondern sie trifft sich mit Freunden in der Kneipe.
und: and	Ich bleibe im Bett, und sie amüsiert sich in der Kneipe.

2 Subordinating conjunctions

A subordinating conjunction introduces a clause that would not make sense independently. The word order is affected by the subordinating conjunction, the verb moving to the end of the dependent clause. Subordinating conjunctions can be used at the beginning or in the middle of a sentence; the clauses are separated by a comma. The ten most common subordinating conjunctions in German are:

als: when (once in the past)		Als der Direktor das Zimmer betrat, standen alle Schüler auf.
	Or:	Alle Schüler standen auf, als der Direktor das Zimmer betrat.
bevor: before		Bevor du ins Bett gehst, musst du dir noch die Zähne putzen.

damit: in order to, so that   Wir schreiben ihr, damit sie das Haus findet.

dass: that   Ich denke, dass unser Nachbar Geburtstag hat.

nachdem: after   Der Hund kam sofort, nachdem ich ihn gerufen hatte.

ob: if, whether   Er möchte wissen, ob man in Deutschland rechts fährt.

obwohl: although   Obwohl es regnet, spielen sie Fußball.

seitdem: since   Seitdem meine Mutter zurück ist, fühle ich mich besser.

weil: because   Wir werden nicht fahren, weil mein Vater krank ist.

wenn: when   Wenn ich nach Hause komme, werde ich mit ihm sprechen.

UNIT 4 Speaking

Oral examinations, presentations and speeches are all about communicating information and ideas. A presentation that has been well researched, planned and structured can be ineffective if the delivery is poor. Good delivery can make or break a presentation, but it also depends upon careful planning and preparation. If you plan carefully you will be more likely to communicate clearly and effectively.

To achieve a high grade you need good, relevant information and a logical structure, which will help you pace your delivery. Many speaking tests require the presenter to put forward his or her personal opinions — not only simple comments but well-considered and supported opinions. The better prepared and organised you are, the more effective the delivery and therefore the communication will be.

This unit aims to provide key points on which to focus in the planning, preparation and delivery of an oral examination in order to maximise your effectiveness. It is divided into two parts:

Part 1 introduces five techniques to help you prepare and organise your information. Examples of the techniques are given in German, using subjects drawn from five of the major topic areas outlined in the introduction to this book. You are given two tasks, or *Übungsaufgaben*, per method, so you have the opportunity to test and practise each technique. The tasks require you to work on subjects within the same major topic area as the example given.

The five subjects in Part 1 have been chosen to explain and clarify the techniques, not to fulfil the criteria of the examination boards, which ask for subjects closely linked to Germany. Instead of describing the problems of unemployment in general, you must discuss particular problems in Germany, for example in Berlin or the Ruhrgebiet, and/or specific measures to overcome them.

Part 2 provides ten sample dialogues on subjects covered in the ten topic areas, plus a range of supplementary questions. The examiner (*Prüfer*) asks the questions and the candidate (*Kandidat*) answers them.

Each method here should provide an outline for you to develop a coherent plan of what you want to talk about. The final step to ensure you are adequately prepared is rehearsal: this is essential to the delivery of a good presentation. You should know your topic so well that during its actual presentation you should only have to glance briefly at your keywords to ensure you are staying on track. Rehearsing your presentation will help you to do this with confidence and to steady your nerves on the day.

Many oral examinations consist of a presentation and a conversation with both predictable and unpredictable elements. The sample dialogues here will provide you with some of the language and ideas needed to answer the questions that might be asked on these topics. The supplementary questions are intended to give you further ideas about what might be asked.

A Steigernde Reihe

METHOD

'*Steigernde Reihe*' is a method of presentation where three major points are discussed in increasing order of importance:

These
Introductory statement on your overall argument

Argument 1 + Erklärung + Beispiel
Explanation of the first (and weakest) point of your argument with an example

Argument 2 + Erklärung + Beispiel
Explanation of the second point of your argument with an example

Argument 3 + Erklärung + Beispiel
Explanation of the third, final and strongest point of your argument with an example

Zusammenfassung
Short summary of your arguments

Advantages

This method makes you think in depth about the issues in question by deciding on the strengths of three arguments and supporting them with examples. In addition, you have to think about an overall statement and a summary. This technique would also work with four or five arguments, but three is a good starting-point.

Organising your arguments

You need to write a 'story-line' that covers all the elements of the presentation by breaking down the theme into three major components. The story-line should be logical but also personal, because you have decided what your weakest and strongest arguments are. In presenting your outline the basic principle is one arrow for one argument.

The size of each arrow in the diagram below stands for the importance of each argument. If you choose to use this method for your presentation, jot down a keyword for each argument in the appropriate arrow.

SUBJECT: PROBLEMS OF UNEMPLOYMENT
(Topic area viii: The world of school and work)

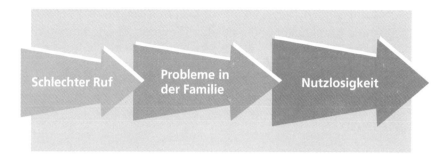

Schlechter Ruf → Probleme in der Familie → Nutzlosigkeit

These

Arbeitslose haben mit vielen unterschiedlichen Schwierigkeiten und Problemen zu kämpfen.

Argument 1

Arbeitslose haben in der Öffentlichkeit einen **schlechten Ruf**, werden nicht in gleichem Maße respektiert wie Leute mit Arbeit und können, dadurch dass sie weniger Geld haben, sich weniger Dinge leisten.

Beispiel 1

Oft werden Arbeitslose als arbeitsscheu oder faul bezeichnet. Viele Leute sind davon überzeugt, dass die Arbeitslosen nicht arbeiten wollen. Sie sagen Dinge wie 'Es gibt genug Arbeit!' oder 'Sollen die Arbeitslosen doch den Müll im Wald wegmachen!' Dabei vergessen sie, dass viele Arbeitslose qualifiziert sind, eine Beschäftigung in ihrem Beruf suchen und schon lange versuchen, eine Stelle zu finden. Ein Arzt oder ein Facharbeiter hat natürlich ein besseres Image als ein Arbeitsloser. Das wird verstärkt durch die Tatsache, dass sich ein arbeitsloser Mensch kaum ein sportliches Auto, schicke Kleidung, teure Restaurants und weite Urlaubsreisen leisten kann.

Argument 2

Arbeitslose haben häufig eine schwierige Situation und **Probleme in der Familie**. Sie nehmen nicht mehr am normalen Arbeitsleben teil, sind zu Hause mit viel zu viel Freizeit und nerven die anderen Familienmitglieder.

Beispiel 2

Wenn morgens die Nachbarn das Haus verlassen, die eigenen Kinder zur Schule gehen und manchmal sogar der eigene Partner zur Arbeit fährt, müssen sie zu Hause bleiben. Nach Jahren in einem festen Job, fällt es ihnen oft schwer, die Hausarbeit zu machen, sich um Kleinkinder zu kümmern. Ihnen fehlt ein Ort wie die Firma, die Fabrik oder das Geschäft, wo man Kontakte mit Kollegen und Kunden hatte. Mit der vielen Freizeit können sie wenig anfangen, immer Fernsehen oder Videos gucken wird auf Dauer langweilig. Stattdessen nerven sie tagsüber ihre Partner oder, oft aus Frust, lassen sie ihre Aggressionen an den anderen Familienmitgliedern aus. Das kann zu Streit und Konflikten führen, die das Familienleben negativ beeinflussen.

Argument 3

Das Schlimmste für den Arbeitslosen ist mit sich selbst zurecht zu kommen. Häufig fühlen sich Arbeitslose **nutzlos**, wertlos, als Teile der Gesellschaft, die nicht mehr gebraucht werden. Diese Gefühle können zu schlimmen Minderwertigkeitsgefühlen, Stress und Krankheiten, oder aber zu Drogensucht und Kriminalität führen.

Beispiel 3

Nach Jahren ohne Arbeit, wird es für viele Arbeitslose immer schwieriger sich zu motivieren. 'Warum soll ich heute aufstehen, was hat das alles noch für einen Sinn?' fragen sich viele. Oft ist diese Belastung so groß, dass der Körper mit Stress-Symptomen oder Krankheiten reagiert. Wenn sie nicht Unterstützung von Freunden oder in der Familie haben, besteht die Gefahr, dass sie anders versuchen, mit ihrer schwierigen Situation umzugehen. Manche probieren mit Alkohol oder Drogen ihre Probleme zu verdrängen, einige werden sogar kriminell um an mehr Geld zu kommen.

Zusammenfassung

Das Leben für arbeitslose Menschen ist oft nicht einfach. Häufig fühlen sie sich nutzlos, haben Probleme in ihrer Familie und einen schlechten Ruf. Ich denke, man sollte Arbeitslose gezielter unterstützen. Wenn man einen Menschen ohne Arbeit trifft, muss man versuchen, Verständnis für seine Situation zu zeigen.

Übungsaufgabe

1 Nennen Sie drei Gründe, die für ein Studium an der Uni sprechen.

2 Geld ist alles! Widersprechen Sie mit drei Argumenten.

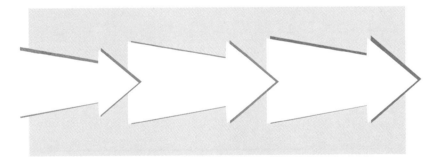

B *Variierte Reihe*

METHOD

'*Variierte Reihe*' is the presentation of three arguments in the following order:

These
Introductory statement on your overall argument

> **Argument 1 + Erklärung + Beispiel**
> Second strongest point of your argument with an example
>
> **Argument 2 + Erklärung + Beispiel**
> Weakest point in your argument with an example
>
> **Argument 3 + Erklärung + Beispiel**
> Strongest point of your argument with an example
>
> **Zusammenfassung**
> Short summary of your arguments

Advantages

Again, you have to think in depth about the issues in question by considering three different arguments and deciding which one you consider to be the strongest, the second strongest and the weakest.

SUBJECT: STEPS AGAINST RACISM
(Topic area i: Current affairs)

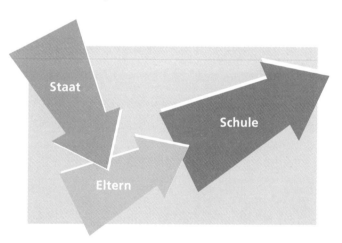

These

Jeder sollte sich gegen Rassismus und Fremdenfeindlichkeit und für Freiheit und Gerechtigkeit einsetzen.

Argument 1

Der **Staat** muss den Bürgern zeigen, dass Rassismus nicht toleriert wird. Politiker müssen Vorbild sein, die Regierung muss rassistische Gruppen und Aktionen verbieten. Rassisten müssen von der Polizei verfolgt und von Richtern hart bestraft werden.

Beispiel 1

Die Regierung hat Macht und kann dadurch viel gegen Rassismus tun. Sie kann rassistische Parteien und Demonstrationen verbieten, sie kann rassistische Propaganda im Internet bestrafen. Es wäre schön, wenn man Politiker öfter mit den

Opfern von rassistischen Straftaten sehen würde und man das Gefühl hätte, dass etwas dagegen gemacht wird. Es darf nicht sein, dass Fremdenfeindlichkeit nicht oder nur gering bestraft wird. Die Bürger erwarten von ihrer Regierung und den Parteien Führung und Orientierung.

Argument 2
Das Elternhaus spielt beim Kampf gegen Rassismus und Fremdenfeindlichkeit eine wichtige Rolle. Von früh auf sind die **Eltern** wichtige Vorbilder für die Kinder. Die Kinder lernen von ihren Eltern, sie wiederholen das, was ihre Eltern zu Hause sagen, sie übernehmen bestimmte Meinungen und Werte ihrer Väter und Mütter.

Beispiel 2
Wenn Eltern Witze über Minderheiten machen, diskriminierende Meinungen äußern oder sich sogar im Alltag fremdenfeindlich verhalten, hat das einen großen negativen Einfluss auf die Kinder. Umgekehrt können Eltern einen positiven Einfluss auf ihre Kinder ausüben, indem sie sie zur Toleranz und Gleichheit aller Menschen erziehen. Sie können ihnen erklären, warum bestimmte Verhaltensweisen richtig und falsch sind.

Argument 3
Die **Schule** und insbesondere die Lehrer spielen die wichtigste Rolle beim Kampf gegen den Rassismus. Im Unterricht, in Diskussionen, bei Sport und Spiel kann es zu Begegnungen mit verschiedenen kulturellen Konzepten kommen, bzw. zum unmittelbaren Kontakt mit Menschen anderer Hautfarbe, Religion oder Kultur.

Beispiel 3
Im Geschichtsunterricht kann man etwas über die guten wie die schlechten Kapitel der Geschichte erfahren und möglicherweise auch etwas davon lernen. Lehrer können auf ihre Schüler einwirken, sie über die falsche und richtige Ideologien aufklären und Tipps geben, wie man im Alltag mit Fremdenfeindlichkeit umgehen kann. In vielen Schulen treffen Schüler und Schülerinnen unterschiedlicher Hautfarbe, Religion oder Kultur aufeinander. Durch den direkten Kontakt können viele Vorurteile abgebaut werden, es kommt zu einem toleranteren, respektvolleren Umgang miteinander. Das gleiche gilt auch für Jugendzentren und Sportvereine, die wichtige Treffpunkte sind.

Zusammenfassung
Nicht nur der Staat, die Regierung und die Politiker können etwas gegen den Rassismus tun, nein schon früh in Familie und Schule kann etwas getan werden. Der Einzelne soll erfahren, dass in allen wichtigen Bereichen Menschen etwas gegen Fremdenfeindlichkeit machen und sich für Toleranz engagieren. Durch diese Beispiele wird er positiv beeinflusst.

Übungsaufgabe
1 Mit welchen Problemen haben die Menschen in Ostdeutschland noch zu kämpfen?

2 Zeigen Sie drei Betätigungsfelder auf, in denen die Kirchen gute und sinnvolle Arbeit leisten.

C *Das Abwägen von Argumenten*

METHOD

Weighing up the arguments is a more demanding and complex method:

1 These

Your overall opinion of the positive side of the issue in question supported by:

> Argument 1 + Beispiel
>
> Argument 2 + Beispiel
>
> Argument 3 + Beispiel
>
> Zusammenfassung der These

2 Antithese

Your overall opinion of the negative side of the issue in question supported by:

> Argument 1 + Beispiel
>
> Argument 2 + Beispiel
>
> Argument 3 + Beispiel
>
> Zusammenfassung der Antithese

3 Synthese

Your considered opinion in the light of the pros and cons you have outlined

Advantages

This technique of weighing up arguments guarantees a fairer, more objective treatment of an issue and a more credible and convincing presentation.

SUBJECT: THE PROS AND CONS OF WATCHING TELEVISION
(Topic area vii: Media and culture)

These   Antithese

Unterhaltung   Gesundheit

Information   Familienleben

Ratgeber   Sendungen

Synthese

These

Das Fernsehen hat viele Vorteile. Viele Menschen verbringen ihre Freizeit vor dem Fernseher, und das ist gut so!

Argument 1

Das Fernsehen bietet viele **Unterhaltung**ssendungen, man kann sich entspannen, kommt auf andere Gedanken und erlebt Freude.

Beispiel 1

Jeder fiebert mit, wenn die eigene Fußballmannschaft ein wichtiges Spiel hat, wenn der Kandidat kurz davor steht, eine Million zu gewinnen, jeder weint und lacht mit seinen Helden und Heldinnen in romantischen Filmen, Seifenopern oder Familienserien.

Argument 2

Der Zuschauer erhält durch das Fernsehen viele **Informationen**, die in einer modernen Gesellschaft wichtig, gar notwendig sind. Da sind die Nachrichten, politische Magazine, Wirtschaftssendungen, Kulturjournale und Wissenschafts- und Technikprogramme, aber auch Angebote wie Shoppingkanäle und Videotext.

Beispiel 2

Ein erfolgreicher Bürger ist ein gut-informierter Bürger. Er weiß, was in der Welt passiert, hat eine politische Meinung, weiß wie seine Aktien stehen, kennt

die neusten Theaterstücke und Kinofilme, besitzt das neuste Handy, kauft seinem Partner den Schmuck im Fernsehen und hat Kenntnis über die Verspätung des Flugzeuges aus Griechenland — dank Videotext. Dabei ist die Information nicht nur schnell und aktuell, sie ist audiovisuell und damit besonders anschaulich.

Argument 3

Das Fernsehen spielt als Lehrer und **Ratgeber** ein immer größer werdende Rolle. Es sind nicht nur die Möglichkeiten, eine Fremdsprache zu lernen oder sich Computerkenntnisse anzueignen, nein das Fernsehen gibt Rat in Gesundheitsfragen, bei psychischen Problemen, berät bei Verbraucherfragen und gibt Tipps zu solch wichtigen Bereichen wie Geld oder Beruf. Dies geschieht teilweise schon interaktiv, das heißt der Zuschauer kann live in der Sendung anrufen oder kann im Studio an der Diskussion teilnehmen. Angesichts Tausender Singles, vieler verarmter und einsamer Menschen, Kranker und behinderter Menschen übernimmt das Fernsehen die Funktion eines Freundes oder Partners.

Beispiel 3

Wer einen Videorecorder hat, braucht nachts nicht aufzustehen, wenn die nächste Sendung des Französischkurses läuft. Und man spart jede Menge Geld. Manche Ehefrau fühlt sich einsam, ihr Mann ist bei der Arbeit, die Kinder in der Schule. Sie hat die Möglichkeit mit Experten im Vormittagsprogramm zu sprechen; sie braucht dafür nichts zu bezahlen und kann anonym bleiben. Mein Onkel hatte einen schweren Unfall und muss den ganzen Tag liegen. Er wohnt abgelegen auf einem Bauernhof, bekommt wenig Besuch. Er sagt: 'Ohne meinen Fernseher wäre ich schon tot. Aber nicht immer gucken, es gibt ja noch den Knopf zum abschalten!'

Zusammenfassung der These

Das Fernsehen ist nicht nur das Unterhaltungsmedium Nr. 1, nein, es ist heutzutage wichtiger und notwendiger Bestandteil des Lebens. Es informiert, unterrichtet und berät und dadurch entsteht eine moderne, erfolgreiche Partnerschaft.

Antithese

Das Fernsehen hat viel mehr Nachteile als Vorteile, es schadet dem Menschen mehr, als es ihm nützt!

Argument 1

Fernsehen schadet der **Gesundheit**. Bewegungsmangel, Konsum ungesunder Nahrungsmittel und weniger Schlaf sind klassische Symptome eines Vielguckers.

Beispiel 1

Oft liegt man faul auf der Couch und schaut sich eine Sendung nach der anderen an. Selbst gutes Wetter kann die Fernsehsüchtigen nicht nach draußen locken. Wer aber nur sitzt und liegt und nur guckt, bei dem kommen die wichtige Bewegung oder Sport zu kurz. Dieser Bewegungsmangel kann zu Verdauungsstörungen führen. Dazu kommt noch, dass beim Sehen große Mengen an Alkohol, Nikotin, Süßigkeiten und Fastfood konsumiert werden. Diese ungesunde Ernährung in Verbindung mit dem Bewegungsmangel führt zu Übergewicht und kann dauerhaft Herzerkrankungen verursachen. Da oft die besten Sendungen erst spät in der Nacht kommen, der Wecker aber am nächsten Morgen früh klingelt, ist Schlafmangel das logische Ergebnis. Darunter leidet dann die Konzentration und Leistungsfähigkeit.

Argument 2

Das Fernsehen fördert das **Familienleben** nicht, nein es zerstört es. Denn bei starkem Fernsehkonsum verbleibt weniger Zeit für Gespräche untereinander. Oft sind die Kinder die Verlierer, denn ihre Eltern nehmen sich keine Zeit für Hausaufgaben oder Spiele. Und der Streit wann was geguckt wird, ist bei immer mehr Sendern schon vorprogrammiert.

Beispiel 2

Anstatt mit ihren Eltern über den Tag zu sprechen, setzten sich viele Kinder nach der Schule direkt vor die Glotze. Da wird lieber ein Krimi gesehen, als den Krach mit dem Lehrer zu diskutieren und die Probleme in der Seifenoper sind viel wichtiger als die eigenen. Abends gibt es dann Streit über das Programm: er will Fußball sehen, sie möchte den Film sehen und die Kinder die Sendung über die Popstars von morgen. Die Mathehausaufgaben bleiben natürlich liegen und auch die Prüfung in Geschichte wird leider vergessen.

Argument 3

Leider ist oft nicht die Quantität sondern die **Qualität der Sendungen** ein Problem, insbesondere für Kinder und Jugendliche. Gewaltszenen, Filme mit Sex und Programme, in denen ständig geflucht wird, beeinflussen die Entwicklung von jungen Menschen negativ.

Beispiel 3

Natürlich ist nicht jeder Jugendliche nach einem Actionfilm gewalttätig und benutzt die selben Schimpfwörter wie der Held. Dennoch fällt es besonders kleinen Kindern schwer, zwischen Wirklichkeit und Fiktion zu unterscheiden. Es besteht die Gefahr, dass das Gezeigte als normal angesehen wird, oder noch schlimmer, dass es nachgeahmt wird. Auch ältere Jugendliche können den Eindruck bekommen, dass Gewalt als Mittel der Konfliktlösung akzeptabel ist, dass Teenager-Schwangerschaften etwas Normales sind und schlechte Sprache ein gutes Kommunikationsmittel ist.

Zusammenfassung der Antithese

Fernsehen schadet der Gesundheit, stört das Familienleben und kann die Entwicklung von Kindern und Jugendlichen negativ beeinflussen. Also, Vorsicht beim Fernsehen!

Synthese

Das Fernsehen ist wahrscheinlich das beliebteste und wichtigste Medium unserer Zeit, trotz negativer Einflüsse und potentieller Gefahren. Man kann das Fernsehen kritisieren, ja sogar verteufeln — man wird nicht viel ändern. Fernsehen gehört heutzutage dazu. Dennoch kann man sinnvoll mit dem Fernsehen umgehen. Kinder sollten nur bestimmte Sendungen sehen um dann hinterher im Gespräch mit einem

Erwachsenen das Gesehene zu verarbeiten. Jugendliche sollten ab einer bestimmten Zeit besser im Bett sein. Man muss auf eine gesunde Ernährung achten, darf die Bewegung und den Sport nicht vernachlässigen. Bei schönem Wetter sollte man auch mal verzichten können, zur Not gibt es noch Videorecorder. Das Fernsehen kann ein harmonisches Familienleben nicht ersetzen, dennoch gibt es lehrreiche und anregende Sendungen. In Maßen genießen und mit Köpfchen, das ist der richtige Weg.

Übungsaufgabe

1 Ist Lesen noch immer wichtig, oder immer unwichtiger?
2 Museen, Theater und Opernhäuser sind out und nur Geldverschwendung!

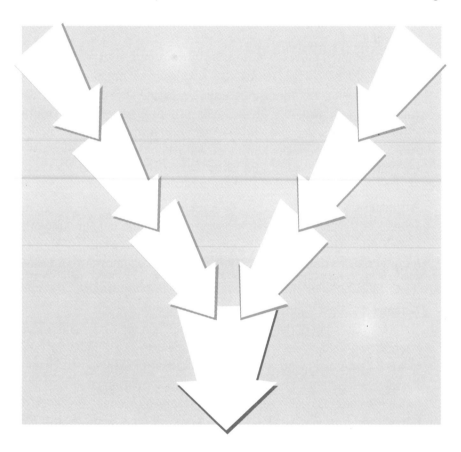

D Mind mapping

METHOD

The technique of mind mapping was developed by Tony Buzan. It is a method that aims to transform complex information into a manageable, visual structure. The main theme is presented in the centre of the 'map'. The more important an idea or aspect, the closer it is to the centre. Ideas, opinions and arguments are represented by keywords. Words can be printed in a variety of colours in order to aid memory. Lines between keywords ensure that links between key concepts are immediately recognisable. Once the mind map is complete, you have a graphic structure of the order for your presentation. New ideas can be integrated easily at a later stage.

Advantages

Every mind map is different in content, shape and colour, which means the maps can be memorised with ease. The selection of keywords to represent ideas means that each mind map is personal and also more concise than traditional linear methods. The content it easier to memorise because only the keywords need to be recalled.

SUBJECT: THE INTERNET
(Topic area ix: Technology)

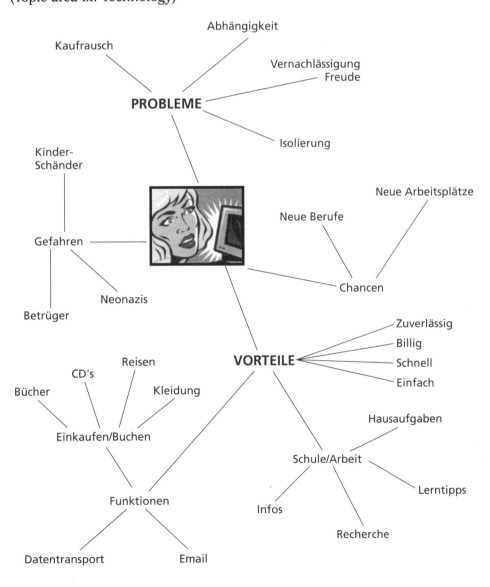

Das Internet bietet viele **Chancen. Neue Arbeitsplätze** entstehen, zum Beispiel verkauft eine Firma nicht nur Bücher in Läden sondern auch im Internet. Viele Leute

arbeiten in großen Lagern, bearbeiten die Bestellung und schicken die Bücher direkt an den Kunden. Es gibt aber auch **neue Berufe**, wie Programmierer, die Webseiten erstellen.

Das Internet hat viele **Vorteile**. Es ist **zuverlässig**, das heißt, man schickt ein Email ab und es kommt auch bei der richtigen Person an. Es ist **billig**, viel billiger als die Post. Man kann für wenig Geld viele Nachrichten schicken, wenn man will auch gleichzeitig. Es ist viel **schneller** als die Post oder ein Paketdienst. In wenigen Sekunden wird ein Dokument von Punkt A nach Punkt B geschickt. Das Internet ist auch sehr **einfach** zu verstehen. Jede Webseite und jeder Nutzer hat eine bestimmte Adresse, mit der man sie kontaktieren kann. Das Internet kann in der **Schule** und bei der **Arbeit** helfen. Wenn man **Informationen** braucht, kann man zu den verschiedensten Themen **recherchieren.** Das kann eine gute Vorbereitung für ein Referat oder einen Test sein. Im Internet gibt es kostenlose **Lerntipps** zu allen Schulfächern, aber auch zu allgemeinen Themen. Und wenn man mal bei den **Hausaufgaben** Probleme hat, gibt es online schnelle Hilfe.

Das Internet erfüllt verschiedene **Funktionen**. Mit seiner Hilfe kann man große Mengen von **Daten transportieren**. Freunde und Bekannte, die Tausende von Kilometer entfernt wohnen, können per **Email** schnell und unkompliziert erreicht werden. Leute, die krank sind, wenig Zeit haben oder einfach nicht das Haus verlassen möchten, können über das Internet problemlos **einkaufen**: in großen Städten Lebensmittel, überall **Bücher**, **CDs**, **Kleidung** und sogar Urlaubs**reisen**. Man muss nicht mehr ins Reisebüro gehen, man kann seine Reise online **buchen**. Alles wird mit der Post oder mit dem Paketdienst ins Haus geliefert, einfacher geht es nicht.

Leider gibt es auch **Gefahren** im Internet. **Kinderschänder** versuchen Kontakt mit Minderjährigen aufzunehmen, **Betrüger** nutzen die Kreditkartennummern fremder Leute für eigene Bestellungen und **Neonazis** verbreiten ihre Propaganda unzensiert und unkontrolliert.

Trotz vieler Vorteile des großen Angebots, kann es auch **Probleme** geben. Mancher fällt leicht in einen **Kaufrausch**, wenn er das große Angebot an Produkten im Internet sieht. Computerspiele und eine unendliche Zahl von attraktiven Webseiten können schnell dazu führen, dass der Benutzer seinen Platz vor dem Computer nicht mehr verlässt. Man spricht dann manchmal von einer Sucht, einer **Abhängigkeit** vom Internet. Leute, die viel Zeit am Computer und im Internet verbringen, **vernachlässigen** oft ihre **Freunde**. Weil sie nur noch zu Hause sitzen, das Haus nicht mehr verlassen, **isolieren sie sich**, geben den direkten Kontakt mit der Außenwelt auf.

Übungsaufgabe

1 Erstellen Sie eine Mind Map zum Thema 'Gentechnologie'. Versuchen Sie Vor und Nachteile, Chancen und Risiken zu berücksichtigen.

2 Erstellen Sie eine Mind Map zum Thema 'Technik — sie dient dem Menschen, sie zerstört den Menschen!'

E *Das Zahlen-Wort-System*

METHOD

List your arguments and number them from one to ten (or however many arguments you want to use), then select a keyword for each:

Argument 1 + keyword   Argument 6 + keyword
Argument 2 + keyword   Argument 7 + keyword
Argument 3 + keyword   Argument 8 + keyword
Argument 4 + keyword   Argument 9 + keyword
Argument 5 + keyword   Argument 10 + keyword

Try to memorise and recall the argument in German with the help of the number and the keyword. When you can do this, try to recall the arguments with just the numbers.

Advantages

Some people find it easier to work with numbers than with words. Associating numbers with verbal information often speeds up the learning process, reducing the time it takes to memorise and recall information. This method can help you to keep track and cover all of your arguments because you will remember which numbers have not been covered. Keywords can easily be changed if they don't help you to recall the arguments.

SUBJECT: WHY ARE YOUNG PEOPLE TAKING DRUGS?
(Topic area vi: Health issues)

Warum nehmen junge Leute Drogen?
1 Weil sie **Langeweile** haben
2 Weil sie sich danach besser **fühlen**
3 Weil sie **neugierig** sind
4 Weil sie versuchen vor persönlichen Problemen zu **entfliehen**
5 Weil ihre **Freunde** auch Drogen nehmen
6 Weil sie damit **angeben** wollen, sich groß, stark, cool fühlen
7 Weil sie sich gegen Werte und **Normen** auflehnen wollen
8 Weil es **verboten** oder illegal ist
9 Weil es ihre **Popidole** auch tun
10 Weil sie gegen ihre Eltern und Lehrer **rebellieren** wollen

1 Langeweile

                                         2 fühlen

                   3 neugierig
    4 entfliehen

                                          5 Freunde

                         6 angeben
      7 Normen

                                 8 verboten
9 Popidole   10 rebellieren

Übungsaufgabe

1 Nennen Sie Gründe dafür, warum es richtig und wichtig ist, Sport zu treiben!

2 Wie könnte man den zunehmenden Alkoholkonsum unter Jugendlichen stoppen?

PART 2 *Dialogues*

F (i) Current affairs

PROBLEMS IN EAST GERMANY

Prüfer: Immer wieder hört man von Problemen in Ostdeutschland; was für Probleme sind das?

Kandidat: Viele Probleme der Wiedervereinigung sind noch nicht gelöst. Das zeigt jede Statistik, die Menschen in Ost und West befragt. Übrigens glauben das mehr Menschen im Osten als im Westen. Die klare Mehrheit denkt aber auch, dass die Wiedervereinigung gut und richtig war. Das Hauptproblem ist aber ohne Zweifel die hohe Arbeitslosigkeit.

Prüfer: Gibt es Gründe für die Arbeitslosigkeit?

Kandidat: In der DDR hatte jeder einen Anspruch auf einen Arbeitsplatz, es gab also quasi Vollbeschäftigung. Allerdings war die Produktivität der Unternehmen sehr gering. Nach der Wiedervereinigung konnten viele Betriebe nur überleben, weil sie die meisten Leute entlassen haben. Viele Fabriken wurden ganz geschlossen und die Menschen standen auf der Straße. Die Marktwirtschaft kann sehr brutal sein.

Prüfer: Ist hohe Arbeitslosigkeit nur ein Problem in Ostdeutschland?

Kandidat: Nein, denn erstens gibt es auch in Westdeutschland Regionen mit hoher Arbeitslosigkeit, wie z.B. Bremen oder Hamburg. Zweitens gibt es auch in Ostdeutschland sehr erfolgreiche Regionen, wo die Arbeitslosigkeit niedriger ist als in vielen westdeutschen Regionen.

Prüfer: Sind bestimmte Personengruppen besonders von der Arbeitslosigkeit betroffen?

Kandidat: In der ehemaligen DDR haben auch sehr viele Frauen gearbeitet, die jetzt Probleme haben eine Stelle zu finden. Am schlimmsten finde ich aber die hohe Jugendarbeitslosigkeit, die in manchen Regionen bei über 20% liegt.

Prüfer: Warum schlimm?

Kandidat: Die Wiedervereinigung war ein freudiges Ereignis, das neue

Deutschland steht für Freiheit und Gerechtigkeit. Und dann finden 16-jährige keine Lehrstelle, schreiben Hunderte von Bewerbungen und sitzen doch am Ende auf der Straße. Dann denken die: 'Aha, das ist also die soziale Marktwirtschaft, dafür sind meine Eltern bei den Montagsdemonstrationen auf die Straße gegangen!'

Prüfer: Aber viele Jugendliche bekommen doch Arbeitslosengeld oder können an Umschulungsprogrammen teilnehmen!

Kandidat: Was nutzt das bisschen Arbeitslosengeld in unserer Konsumwelt? Und wenn jemand Automechaniker werden will, dann bekommt er gesagt: 'Es gibt keine Lehrstellen für Automechaniker, du wirst jetzt Bäcker, die brauchen wir!' Da ist er bestimmt frustriert, und aus Frust kann alles Mögliche entstehen!

Prüfer: Was meinen Sie?

Kandidat: Manche Jugendlichen rebellieren, sie haben keine Lust auf Schule, Arbeit oder Regeln. Sie suchen einen Weg, ihre Probleme zu vergessen, ihre Aggressionen los zu werden oder einfach nur zu provozieren. Da gibt es verschiedene Möglichkeiten: Alkohol und Drogen natürlich, nachts illegale Autorennen fahren, durch extreme Kleidung und Haare auffallen. Und einige schließen sich auch ausländerfeindlichen oder sogar rechtsextremen Gruppen an. Da finden sie, was sie sonst nirgendwo bekommen: Respekt, Zugehörigkeitsgefühl, Freunde und ein gemeinsames Ziel. Das ist aber nicht nur ein Problem in Ostdeutschland, das gibt es auch im Westen und anderen Ländern.

Prüfer: Gibt es Lösungen für das Problem?

Kandidat: Ja und nein! Die Probleme sind sehr komplex. Man kann ihnen nicht allen einen Arbeitsplatz geben und glauben, dass dadurch das Problem gelöst ist. Aber ich denke, man muss in vielen Bereichen mehr für junge Leute tun, schließlich sind wir die Zukunft! Das heißt, die Investitionen werden sich lohnen.

Supplementary questions on topic area i

1 Wie könnte man die Situation für junge Leute in Ost und West verbessern?
2 Gibt es Ihrer Meinung nach noch erkennbare Unterschiede zwischen Menschen aus West- und Ostdeutschland?
3 In welchen Bereichen hat sich das Leben für die Menschen in Ostdeutschland seit 1989 am stärksten verändert?
4 Sind alle Veränderungen positiv, oder gibt es auch negative Beispiele?
5 Wie finden Sie es, dass viele Westdeutsche bisher noch nicht Ostdeutschland besucht haben?
6 Sind Unterschiede zwischen Menschen eines Landes, z.B. Mentalitätsunterschiede, normal? Gibt es die auch in Ihrem Land?

G (ii) Foreign affairs

PROBLEMS OF LESS-DEVELOPED COUNTRIES

Prüfer: Was sind Ihrer Meinung nach die größten Probleme für weniger entwickelte Länder?

Kandidat: Ich denke, dass die klassischen Merkmale wie Armut und Hunger ein großes Problem sind. Ich glaube aber, dass die größten drei Probleme das niedrige Bildungsniveau, die schlechte medizinische Versorgung und die starke Verschuldung sind.

Prüfer: Warum die schlechte medizinische Versorgung?

Kandidat: Es gibt nicht nur zu wenig Krankenhäuser, Ärzte und Medikamente, sondern auch zu wenig medizinische Aufklärung: wie man sich bei bestimmten Krankheiten verhalten soll und wie man sich vor ihnen schützen kann. AIDS wird in den nächsten Jahren allein im Süden Afrikas Millionen von Menschen töten, gleichzeitig haben die Menschen weiterhin ungeschützt Geschlechtsverkehr. Dieser Punkt hängt natürlich auch mit dem niedrigen Bildungsniveau zusammen. Es fehlen Institutionen und Lehrkräfte, wo sich die Menschen bilden können.

Prüfer: Warum denken Sie, dass die Verschuldung ein so großes Problem ist?

Kandidat: Der Unterschied zwischen den reichen Industrieländern und den armen weniger entwickelten Ländern ist groß und wird immer größer. Die Entwicklungsländer können die Kredite und Finanzhilfen, die ihnen die Industrieländer gegeben haben nur zurückbezahlen, wenn sie selbst durch Exporte Gewinn machen. Doch für die Produkte aus diesen Ländern, wie Bodenschätze oder landwirtschaftliche Produkte, kann nur wenig Gewinn erzielt werden. Es fehlt auch an Industriebetrieben, die Produkte für das eigene Land und den Export herstellen.

Prüfer: Wie sollten sich Ihrer Ansicht nach die Industrieländer verhalten?

Kandidat: Man sollte, vielleicht teilweise, die Schulden erlassen, aber im gleichen Schritt versuchen, die Wirtschaft dieser Länder zu stärken. Nur so können sich die Länder selbst helfen und mittelfristig profitieren auch die Industrieländer davon. Sie müssen weniger Entwicklungshilfe zahlen, sie können stattdessen Produkte aus diesen Ländern kaufen, aber auch ihre eigenen Güter in diesen Ländern verkaufen. Je entwickelter diese Länder dann sind, um so weniger Gründe gibt es für die Einwohner diese Länder zu verlassen um nach Europa oder nach Amerika auszuwandern.

Supplementary questions on topic area ii

1 Viele Asylbewerber strömen in Länder wie Großbritannien oder Deutschland. Warum gerade diese Länder?
2 Welche Probleme haben die Asylbewerber, wie kann man ihnen helfen?

3 Sind Sie der Meinung, dass man die Zahl der Asylanten beschränken sollte?

4 Sollten Asylbewerber mit bestimmten Merkmalen, z.B. gute Qualifikation, Berufserfahrung, Alter, bevorzugt werden?

5 Viele Aussiedler in Deutschland sprechen schlecht Deutsch. Ist das Ihrer Ansicht nach ein großes Problem?

6 Ist der Vorschlag reiner Aussiedler-Schulklassen/Ausländer-Schulklassen eine gute oder eine schlechte Idee?

H (iii) German-speaking regions and Europe

THE PROS AND CONS OF A UNIFIED EUROPE

Prüfer: Ein vereintes Europa, das ist doch ein tolles Projekt, oder?

> **Kandidat:** Natürlich, es gibt sehr viele positive Beispiele, Vorteile und Möglichkeiten. Ich denke nur an die Chancen für junge Leute. Man kann heute problemlos quer durch Europa reisen, fast immer ohne Passkontrollen, man kann im Ausland studieren oder arbeiten, meine Zeugnisse sind überall in der EU gültig.

Prüfer: Aber die Wirtschaft und Politik profitieren doch auch davon, oder nicht?

> **Kandidat:** Sicher, die Unternehmen kaufen und verkaufen ihre Produkte und eine gemeinsame europäische Verteidigungspolitik ist bestimmt nützlich, denn die meisten europäischen Länder sind allein einfach viel zu klein. Dennoch gibt es in diesen Bereichen nicht nur Vorteile.

Prüfer: Können Sie ein Beispiel für einen solchen Nachteil geben?

> **Kandidat:** Ja, zum Beispiel die Grenzkontrollen, die es zwischen den meisten Ländern nicht mehr gibt. Für die Touristen, für die Geschäftsleute und die LKWs, die Waren produzieren, ist das wunderbar. Aber was ist mit den Drogenschmugglern, mit den Waffenhändlern, den Terroristen und Banden, die illegale Einwanderer ins Land bringen? Für diese Personen würde ich mir Kontrollen wünschen. Es stört mich, dass mehr Freiheit auch mehr Risiko bedeutet.

Prüfer: Wie könnte man diese schwierige Situation verbessern?

> **Kandidat:** Ein gemeinsames Europa muss die Ängste der Menschen ernst nehmen. Die Polizeikräfte der verschiedenen Länder müssen besser und intensiver kooperieren. Heutzutage ist das mit unserer Computertechnik problemlos möglich. Was nützt mir die große Freiheit, wenn ich mich zu Hause nicht mehr sicher fühle? Es darf nicht sein, dass Kriminelle die Freiheit ausnutzen.

Supplementary questions on topic area iii

1 Was für Gründe gibt es noch, die für ein vereintes Europa sprechen?
2 Was für andere Sorgen und Ängste haben viele Menschen, wenn sie an ein vereintes Europa denken?
3 Manche Leute sagen 'Schaut auf die Straßen, in die Geschäfte, in den Sport, in die Kultur oder die Firmen, Europa ist schon längst Realität!' Was glauben Sie, was meinen diese Leute?
4 Wie denken Sie über die gemeinsame Währung Euro?
5 Haben Sie schon mal ein deutschsprachiges Land besucht? Wenn ja, welche Gemeinsamkeiten und Unterschiede im Vergleich zu Ihrem Land haben Sie bemerkt?
6 Könnten Sie sich vorstellen in dem Land zu arbeiten oder zu leben? Warum/warum nicht?

(iv) Free time and holidays

MASS TOURISM

Prüfer: In letzter Zeit hört man öfter von Massentourismus, was ist Ihrer Meinung nach damit gemeint?

Kandidat: Massentourismus, das ist wenn viele Leute eines Landes zur gleichen Zeit an den selben Ort fahren, zum Beispiel Touristen ans Mittelmeer. Sie werden alle mit dem Bus vom Flughafen ins Hotel gebracht. Die Hotels sind oft riesige, häßliche Hochhäuser, mit Tausenden Betten und Restaurants wie Kantinen. Im Supermarkt gibt es die selben Produkte wie zu Hause, in den Restaurants die selben Gerichte, an den Zeitungsläden die selben Zeitschriften und in den Discos läuft die selbe Musik. Alles ist gut organisiert und man braucht auf nichts Bekanntes zu verzichten.

Prüfer: Das gefällt doch sicher vielen Menschen, oder?

Kandidat: Das schon, aber sie lernen das Land, das sie besuchen, nicht wirklich kennen. Sie probieren nicht die typischen Gerichte, sie sehen wenig oder gar nichts von der Kultur des Landes, höchstens ein paar kulturelle Sehenswürdigkeiten auf einer organisierten Bustour. Die wenigsten mieten ein Auto und erkunden die Landschaft. Sie treffen nicht die Einwohner, sondern nur Saisonarbeiter oder ausländische Hilfskräfte. Sie zeigen kein Interesse für das, was die Menschen wollen, wie sie leben, arbeiten, denken und fühlen.

Prüfer: Aber wenn alle damit zufrieden sind, wo ist das Problem?

Kandidat: Natürlich profitiert ein Land vom Massentourismus, es bedeutet Geld und Arbeitsplätze, für die Hotelgesellschaften, Restaurants und Busunternehmen. Die Touristen bringen auch viel Geld, dass man investieren kann. Aber oft ist der Preis hoch, den die Urlaubsgebiete bezahlen. Straßen und Hotels müssen gebaut werden, dafür wird wunderschöne Landschaft zerstört.

Die Umwelt wird sehr stark belastet, durch die Abfälle, durch den hohen Verbrauch von Trinkwasser, durch den Verkehr und die Abwässer. Die Preise für Grundstücke steigen, so dass die Einheimischen sie sich nicht mehr leisten können. Und niemand fragt die Einheimischen, ob sie das überhaupt wollen.

Prüfer: Gibt es denn Alternativen zum Massentourismus?

Kandidat: Ja und nein! Man kann den Menschen nicht verbieten in Urlaub zu fahren. Doch ein sanfter Tourismus, ein Tourismus in Maßen könnte die Situation verbessern.

Supplementary questions on topic area iv
1 Wie könnte so ein sanfter Tourismus aussehen?
2 Kann man sich nicht auch zu Hause erholen und das Geld für eine teure Urlaubsreise sparen?
3 Viele Menschen finden es schwierig, ihre Freizeit sinnvoll zu gestalten. Warum ist das so, und welche Tipps könnten Sie ihnen geben?
4 Die Sportpresse wählt jedes Jahr den Sportler und die Sportlerin des Jahres. Welche Qualitäten sollte eine solche Person Ihrer Ansicht nach haben?
5 Jeder Mensch sollte jeden Tag Sport treiben! Was halten Sie von dieser Forderung?
6 Freizeitexperten schlagen immer wieder vor, während der Woche einen fernsehfreien Tag und einmal im Monat einen autofreien Tag einzuführen. Was halten Sie von der Idee und für was könnte so etwas gut sein?

J (v) Society

THE CHANGED ROLE OF WOMEN IN SOCIETY

Prüfer: Wie hat sich die Situation für Frauen in den letzten 50 Jahren verändert?

Kandidat: Sie hat sich stark verändert und in vielen Bereichen verbessert. In fast allen Ländern sind Frauen vor dem Gesetz gleich. Sie haben Wahlrecht, sie besuchen höhere Schulen und Universitäten und dürfen eigentlich fast alles, was Männer auch dürfen.

Prüfer: Wieso fast, ist die Gleichberechtigung nicht Realität?

Kandidat: In den meisten Fällen kann man von Gleichberechtigung sprechen. Dennoch gibt es Länder, in denen die Frauen noch immer weniger Rechte haben oder weniger wert sind. Aber auch in den Industrieländern kann man längst noch nicht von Gleichberechtigung sprechen, sondern manchmal auch von Diskriminierung.

Prüfer: Können Sie Beispiele für eine solche Diskriminierung nennen?

Kandidat: Es ist nicht gerecht, dass eine Frau für die gleiche Arbeit weniger bekommt. In vielen Büros und Firmen verdienen Frauen nicht so viel wie ihre

männlichen Kollegen, obwohl sie die gleiche Tätigkeit haben. Theoretisch besteht heutzutage Chancengleichheit bei der Berufswahl. Aber wenn erst einmal ein Kind da ist, steht die Frau zu oft vor der Entscheidung Kind oder Karriere. Es gibt zu wenig Männer, die bereit sind zu Hause zu bleiben, aber was viel schlimmer ist, es gibt kaum flexible Arbeitsplätze und Teilzeitjobs, die es einer Frau ermöglichen, auch mit Kind ihren Beruf auszuüben.

Prüfer: Viele Frauen sind berufstätig. Wie finden Sie das?

Kandidat: Das finde ich grundsätzlich gut. Es bringt natürlich Vorteile für viele: die Frauen können ihre Familien finanziell unterstützen. Sie sind finanziell unabhängiger und nicht auf die Gehälter der Männer angewiesen. Mit dem verdienten Geld können sie sich auch eigene Dinge kaufen.

Prüfer: Gibt es auch Nachteile?

Kandidat: Ohne Zweifel bedeutet Berufstätigkeit auch Verwirklichung und mehr Selbstbewusstsein. Leider kann der Job der Mutter auch eine Schwächung der Familie bedeuten, insbesondere dann, wenn die Kinder vernachlässigt werden. Denn Kinder brauchen besonders in den ersten Jahren viel Liebe und Zeit. Zwar gibt es Au-pair-Mädchen und Tagesmütter, aber ich glaube, dass die Eltern am besten für das Kind sind. Manchmal fühlen sich auch Ehemänner vernachlässigt. Beides kann zu großen Problemen in der Familie führen.

Supplementary questions on topic area v

1 Glauben Sie, dass sich in den letzten 50 Jahren auch die Rolle des Mannes verändert hat? Wenn ja, wie?
2 'Der Kampf gegen Gewalt und Kriminalität muss in der Familie beginnen!' Was denken Sie über diese Aussage?
3 Sollten sich die Schulen auf das Unterrichten von Fächern konzentrieren oder sollen sie auch erziehen und soziales Verhalten vermitteln?
4 Immer weniger Paare wollen Kinder. Warum ist das so und wie könnte man es ändern?
5 Halten Sie die Klagen vieler älterer Menschen über die heutige Jugend für berechtigt? Wie könnte man mehr gegenseitiges Verständnis erzielen?
6 Ist Hausfrau auch ein Beruf? Sollten Hausfrauen für ihre Tätigkeiten Geld bekommen?

K (vi) Health issues

SMOKING: MORE THAN JUST A BAD HABIT?

Prüfer: Viele junge Leute rauchen: warum ist das so?

Kandidat: Ich selbst rauche nicht. Ich habe es mal probiert, aber es war nichts für mich. Es gibt nur wenige Leute, die ich kenne, die rauchen, weil es ihnen schmeckt. Ich glaube, man raucht aus anderen Gründen.

(vi) Health issues

Prüfer: Was für Gründe sind das?

Kandidat: Viele Jugendliche rauchen, weil es cool ist. Dazu kommt noch, dass einige noch nicht rauchen dürfen, weil sie zu jung sind. Sie machen es aber trotzdem und tun dadurch etwas Verbotenes. Das erhöht den Reiz, man fühlt sich stark und erwachsen.

Prüfer: Wollen erwachsene Raucher auch cool sein?

Kandidat: Es gibt bestimmt auch ältere Leute, die aus ähnlichen Gründen rauchen. Die Werbung spielt dabei eine große Rolle.

Prüfer: Was meinen Sie?

Kandidat: Die Werbung will uns vermitteln, dass Rauchen ein bestimmtes Lebensgefühl ist: Freiheit, Lässigkeit, Abenteuerlust oder modernes Leben. Aber die meisten Erwachsenen rauchen in bestimmten Situationen.

Prüfer: Können Sie solche Situationen beschreiben?

Kandidat: Viele Leute rauchen in der Freizeit, zum Beispiel in der Kneipe. Andere greifen bei Stress-Situationen zur Zigarette, zum Beispiel bei Prüfungen oder im Beruf. Sie glauben, dass sie den Druck mit Rauchen besser bewältigen können.

Prüfer: Was meinen Sie, funktioniert das?

Kandidat: Entscheidend ist wahrscheinlich der Glaube daran und natürlich die Gewohnheit. Bei manchen Rauchern ist es allerdings noch schlimmer. Sie sind abhängig, vom Nikotin in den Zigaretten. Wenn sie keine Zigarette haben, werden sie ganz nervös. Ich habe letzte Woche einen Artikel gelesen, der sagt, dass die meisten randalierenden Flugpassagiere Raucher sind, die wegen des Rauchverbots richtig aggressiv werden. Ich bin überzeugter Nichtraucher, aber auf langen Flügen sollte man rauchen dürfen, also ich meine auf bestimmten Plätzen.

Prüfer: In vielen öffentlichen Gebäuden und manchen Restaurants gibt es Rauchverbote. Ist das gut so?

Kandidat: Ich bin mir nicht sicher. Wissen Sie was ich viel schlimmer finde? Wenn man in ein Krankenhaus oder ein öffentliches Gebäude will, dann stehen alle Raucher vor dem Eingang und man läuft durch eine Wolke aus Rauch. Wäre da ein kleines Raucherzimmer nicht besser? In Restaurants, so wie es in Amerika praktiziert wird, finde ich es blöd. Einige meiner Freunde rauchen, aber sie würden nie während des Essens rauchen, und sie fragen immer erst, ob es jemanden stört. Heißt das, dass wir nicht mehr gemeinsam in ein Restaurant gehen können? In ein Restaurant, in dem wir durch fettes Essen und viel Alkohol unserer Gesundheit schaden werden. Nein, das macht keinen Sinn.

Supplementary questions on topic area vi
1 Ist Rauchen wirklich so gesundheitsschädlich?
2 Gibt es noch andere Nachteile beim Rauchen?

3 Ein 17-Jähriger darf in seiner Freizeit rauchen, in der Schule nicht! Wie finden Sie das?

4 Es gibt Leute, die Werbung für Tabakprodukte verbieten wollen. Was ist Ihre Ansicht zu diesem Vorschlag?

5 In Amerika müssen manche Raucher mehr für ihre Krankenversicherung zahlen. Ist das eine gute Idee?

6 Der Staat hat eine doppelte Moral. Er kritisiert das Rauchen, aber verdient gut an der Tabaksteuer. Was ist Ihre Meinung dazu?

L (vii) Media and culture

THE PROS AND CONS OF ADVERTISING

Prüfer: Wir sind heutzutage fast überall von Werbung umgeben. Wie finden Sie das?

Kandidat: Es kommt darauf an. Im Kino finde ich die Werbung eigentlich ganz gut. Viele Leute kommen zu spät, die würden ohne Werbung den Film stören. Man kann noch mit seinen Freunden sprechen und wenn der Film dann anfängt, sind die meisten Popcorntüten leer.

Prüfer: Aber es gibt doch nicht nur Werbung im Kino!

Kandidat: Natürlich, im Fernsehen gibt es immer mehr Werbespots. Manche sind auch ganz witzig, viele nerven aber sehr. Es stört besonders, wenn der Film gerade an einer spannenden Stelle ist und dann wird unterbrochen. Das Argument, dass man in der Pause was zu trinken holen oder auf Toilette gehen kann, überzeugt mich nicht. So oft kann man gar nicht auf Toilette gehen. Aber ohne Werbung geht es eben nicht!

Prüfer: Wieso, es gibt doch Fernsehstationen, die ohne Werbung auskommen!

Kandidat: Dafür zahlen wir dann Fernsehgebühren. Aber die richtigen guten Filme kosten sehr viel Geld, und dieses Geld bezahlt die Werbewirtschaft. Die Firmen wollen aber ihre Produkte verkaufen und wollen deshalb die Zeiten bei den besten Filmen oder Sportveranstaltungen.

Prüfer: Dann ist doch alles in Ordnung, dank der Werbung bessere Filme!

Kandidat: Moment, auf den ersten Blick scheint alles gut zu sein. Aber leider informiert die Werbung nicht nur, sie beeinflusst, ja manipuliert uns.

Prüfer: Können Sie das etwas genauer erklären?

Kandidat: Ein gutes Beispiel sind Frauen in der Werbung. Sie sind immer schlank, toll angezogen und bei bester Laune. Andere Frauen und besonders junge Mädchen vergleichen sich mit ihnen und werden unzufrieden, weil sie nicht so schlank sind, weil sie nur wenige schöne Kleidung haben und nicht täglich gut gelaunt sind. Das macht sie dann unzufrieden, sie glauben zum

Beispiel mit Diäten das Problem lösen zu können. Dabei wären sie mit ein paar Kilos mehr glücklicher, weil sie das essen könnten, was ihnen wirklich schmeckt.

Prüfer: Sie sagten 'besonders junge Mädchen', wieso besonders diese Gruppe?

Kandidat: Leider gibt es immer mehr junge Mädchen, die an Magersucht leiden. Diese Krankheit, die man auch Bulimie nennt, glaube ich jedenfalls, kann zum Tode führen. Die jungen Mädchen wollen so wie Top-Models aussehen. Nach Hunger-Phasen kommt es zu Fressattacken und hinterher wird das Gegessene wieder erbrochen. Die Mädchen magern total ab und es ist sehr schwierig ihnen zu helfen. Aber es gibt noch viele andere Beispiele, wie Alkohol, Zigaretten, die uns verführen wollen.

Prüfer: Aber es gibt doch auch Werbung für ganz andere Dinge, z.B. Autos oder Banken?

Kandidat: Aber auch diese Spots machen uns unzufrieden oder gierig. Unzufrieden, weil wir feststellen, was wir haben könnten, aber nicht besitzen. Und gierig, weil es so viel Neues und Besseres gibt. Dahinter steht der Wunsch nach Reichtum, denn mit viel Geld kann man sich alles kaufen, was in der Werbung gezeigt wird. Die Mehrheit der Leute hat das Geld nicht, ist aber froh, wenn es zu einem neuen Auto reicht.

Supplementary questions on topic area vii

1 Welche Gründe sprechen für Werbung?
2 Beschreiben Sie einen Werbespot, der Ihnen besonders gut gefallen hat und begründen Sie warum.
3 Beschreiben Sie einen Werbespot, der Ihnen überhaupt nicht gefällt und begründen Sie warum.
4 Können Kinder alle Werbespots problemlos anschauen? Bei welchen Spots hätten Sie Bedenken?
5 Gibt es Produkte oder Dienstleistungen, für die man nicht werben sollte? Warum?
6 Glauben Sie, dass Sie von der Werbung beeinflusst werden, und wenn ja, wie?

M (viii) The world of school and work

THE GERMAN SCHOOL SYSTEM

Prüfer: Die meisten deutschen Schüler sind schon gegen 13.30 Uhr zu Hause. Wie finden Sie das?

Kandidat: Das stimmt, ich war selbst einmal bei einem Schüleraustausch dabei. Allerdings fängt in den meisten Schulen der Unterricht auch schon um

7.45 an. Da bin ich zu Hause gerade erst aufgestanden. Trotzdem, die deutschen Schüler haben mehr Freizeit. Ich glaube, das würde mir auch gut gefallen.

Prüfer: Warum?

Kandidat: Morgens Schule, am Nachmittag Hausaufgaben und Lernen, und danach Freizeit, beim deutschen Schultag hat man einfach das Gefühl, dass der Tag länger ist. Aber das deutsche System hat auch Nachteile.

Prüfer: An was für Nachteile denken Sie?

Kandidat: Man kann sitzen bleiben. Wenn man in zwei Hauptfächern schlechte Noten hat, muss man das Jahr wiederholen. Man kommt mit Jüngeren zusammen, verliert all seine Freunde und muss den gleichen Schulstoff in allen Fächern noch mal machen.

Prüfer: Hat das Nachsitzen nicht auch Vorteile?

Kandidat: Na klar, man lernt den Schulstoff besser. Wenn man schlecht in Mathe ist, kann man nicht einfach weiter machen. Man muss das Jahr noch mal machen, damit man alles versteht. Aber das funktioniert nicht immer. Außerdem sind die Noten oft vom Lehrer abhängig.

Prüfer: Fallen Ihnen noch andere Besonderheiten des deutschen Systems ein?

Kandidat: In der Oberstufe haben deutsche Schüler mehr Fächer. Es geht dadurch nicht so sehr um eine Spezialisierung, sondern um das Allgemeinwissen. Fächer wie Mathe, Deutsch oder eine Fremdsprache kann man nicht abwählen.

Prüfer: Wie finden Sie das?

Kandidat: Die Idee ist gut, aber viele sind froh, wenn sie ein schwaches Fach loswerden können. Ich war immer sehr schwach in Mathe, deshalb bin ich jetzt froh, dass ich es nicht mehr habe. Dafür kann ich mich jetzt auf meine Spezialfächer konzentrieren.

Prüfer: Wäre eine Spezialisierung erst auf der Universität nicht besser?

Kandidat: Ja und nein. Sicherlich ist es gut, dass man in der Oberstufe ein gutes Allgemeinwissen bekommt. Es sollte eine Art Vorbereitung fürs Leben sein. Man sollte Mathe haben, denn jeder muss sein Geld organisieren. Man sollte auch eine Fremdsprache lernen, denn im Urlaub oder an der Uni trifft man Menschen aus anderen Ländern. Auf der anderen Seite ist es gut, dass man ein Fach mal ausprobieren kann. Wenn es einem nicht gefällt, ist das beim Abitur nicht so schlimm wie auf der Universität.

Supplementary questions on topic area viii

1 Fallen Ihnen noch andere Unterschiede zwischen Ihrem und dem deutschen Schulsystem ein?

2 In Deutschland gibt es weniger Gesamtschulen. Wie finden Sie das?

3 In Deutschland gibt es nur sehr wenige Privatschulen. Ist das Ihrer Meinung nach eher ein Vorteil oder ein Nachteil?

4 Jedes Bundesland hat in Deutschland sein eigenes Schulsystem. Könnte das ein Problem sein?

5 In Deutschland gehen die Kinder erst mit 6 Jahren zur Schule. Ist das nicht zu spät?

6 In einigen Ländern lernen die Kinder in der Grundschule eine Fremdsprache, wie zum Beispiel Englisch oder Französisch. Ist das eine gute Idee?

N (ix) Technology

THE PROS AND CONS OF MOBILE PHONES

Prüfer: Ich habe gelesen, dass jedes dritte Kind sich zu Weihnachten ein Handy gewünscht hat. Warum sind Handys so beliebt?

Kandidat: Ich habe auch ein Handy. Aber keine Sorge, es ist abgeschaltet. Heutzutage braucht man ein Handy!

Prüfer: Aber es gibt doch Telefonzellen, oder?

Kandidat: Ja sicher, aber die sind entweder kaputt oder nicht da, wenn man sie braucht. Mit einem Handy ist man flexibler und mobiler. Man kann überall und immer Anrufe empfangen. Wenn man nicht gestört werden will, wird die Nachricht vom Anrufbeantworter aufgenommen. Kein dringender Termin, keine wichtige Nachricht geht mehr verloren.

Prüfer: Termine, Nachrichten, das klingt mehr nach Geschäftswelt?

Kandidat: Auch junge Leute haben viele Termine. Aber ich nenne Ihnen mal drei typische Situationen, wo ein Handy wirklich nützlich ist. Nummer 1: die Eltern können das Kind nicht von der Schule abholen, weil etwas dazwischen gekommen ist. Eine kleine SMS, und das Problem ist gelöst. Nummer 2: ein junges Mädchen muss im Winter einen dunklen Weg nach Hause gehen. Wenn sie sich unsicher oder bedroht fühlt, kann sie sofort Hilfe rufen. Nummer 3: die Kinder gehen am Samstagabend weg, und können den Eltern telefonisch mitteilen, wann und wo man sie abholen kann, damit nichts passiert.

Prüfer: Also hat ein Handy nur Vorteile, oder?

Kandidat: Theoretisch schon. Aber es nervt nicht nur den Lehrer, wenn im Unterricht dauernd ein anderes Mobiltelefon klingelt. Und viele Leute übertreiben es auch.

Prüfer: Was meinen Sie mit 'übertreiben'?

Kandidat: Manche Schüler schicken 30-40 SMS pro Tag, an Freunde, die sie dauernd sehen. Sie schicken Nachrichten, nicht weil sie etwas mitteilen wollen, sondern einfach aus Spaß. Bei einigen Schülern zahlen die Eltern die Telefonrechnung, denen ist das egal. Andere müssen aber mit ihrem

Taschengeld bezahlen. Das kann ganz schön teuer werden. Meine erste Telefonrechnung war auch sehr hoch, da ist mehr als die Hälfte meines Taschengeldes draufgegangen. Heute bin ich vorsichtiger, und benutze mein Handy nur wenn ich es wirklich brauche — meistens!

Prüfer: Könnte man das Handy auch als eine Art Modeartikel bezeichnen?

Kandidat: Absolut, wer bei den Kleinen kein Handy hat, der ist out. Es gibt auch so viel Werbung für Mobiltelefone, oder auch für Spiele und Klingeltöne. Das ist perfektes Marketing und fast alle Jugendlichen und auch viele Erwachsene machen mit: 'Ich habe ein Handy, deshalb bin ich ein moderner Mensch!'

Supplementary questions on topic area ix

1 Ist es richtig, dass die Benutzung von Handys beim Autofahren verboten ist?
2 Sollte man Handys auch an anderen Orten verbieten, zum Beispiel im Restaurant, im Zug, im Museum oder im Bus?
3 Manche Wissenschaftler glauben, dass Handys gesundheitsschädlich sind. Was für Argumente haben sie?
4 Für die Mobilnetze braucht man große Antennen an vielen Orten. Würde es Ihnen etwas ausmachen, direkt neben einer Antenne zu wohnen?
5 Ist das Telefonieren mit Mobiltelefonen zu billig oder zu teuer?
6 Gibt es Situationen, in denen Sie ein Handy stört?

(x) The environment

NUCLEAR AND RENEWABLE ENERGY

Prüfer: Die Atomkraft ist eine sehr umstrittene Energie, was sind Ihre Ansichten dazu?

Kandidat: Atomenergie hat viele Vorteile. Im Gegensatz zu Kohlekraftwerken gibt es bei Atomkraftwerken keine Emissionen von CO_2, dem Hauptverursacher des Treibhauseffekts. Atomstrom ist günstiger als alle anderen Stromarten und bei der Energiegewinnung wird die Umwelt nicht belastet. Das große Problem ist jedoch die Sicherheit. Die Stärken des Atomstroms sind unumstritten, nicht aber die Risiken.

Prüfer: Was meinen Sie mit Risiken?

Kandidat: Die Reaktorkatastrophe in Tschernobyl hat gezeigt, dass eine einzige Atomanlage das Leben und die Gesundheit von Tausenden Menschen und Tieren zerstören kann. Neben der Sicherheit der Atomkraftwerke ist der Transport und die Lagerung des Atommülls das andere große Problem. Der Müll ist radioaktiv und muss Tausende von Jahren sicher gelagert werden, bevor er für den Menschen ungefährlich ist. Atomkraftgegner behaupten, dass selbst die besten Anlagen nicht sicher sind und es immer wieder zu überdurchschnittlich vielen Leukämiefällen in der Nähe von Atomkraftwerken kommt.

Prüfer: Gibt es denn überhaupt Alternativen zur Atomkraft?

Kandidat: Sicher, es gibt vor allem die alternativen Energien aus Sonne, Wind, Erdwärme und Biomasse. Mit ihrer Hilfe kann man sehr umweltfreundlich Strom produzieren. Das Problem ist die Mengen und auch der Preis. Nicht überall gibt es genug Sonnenschein und natürlich sind diese Techniken viel teurer als Atomstrom. Befürworter der Atomenergie glauben, dass mit den alternativen Techniken nicht genug Strom für alle produziert werden könnte. Die Gegner der Atomkraft fordern deshalb auch massives Stromsparen.

Prüfer: Was ist denn nun Ihre Meinung?

Kandidat: Ich glaube, dass wir im Moment nicht auf Kernkraft verzichten können. Wir sollten aber schrittweise versuchen, immer mehr alternative Energien und immer weniger Kernenergie zu verbrauchen. Besonders in den Ländern Afrikas, könnte man mit Sonnenenergie erfolgreich sein.

Supplementary questions on topic area x

1 Wo könnte man Ihrer Meinung nach Energie sparen?
2 Wodurch wird heutzutage die Natur bedroht?
3 Beunruhigen Sie die Pressemeldungen über globale Erwärmung?
4 Wenn das Benzin doppelt so teuer wäre und man Autobahngebühren einführen würde, dann würden auch mehr Leute öffentliche Verkehrsmittel benutzten! Wäre das Ihrer Ansicht nach ein Schritt in die richtige Richtung?
5 Braucht ein Haushalt eine oder fünf Mülltonnen?
6 In Deutschland gibt es Städte, wo man für mehr produzierten Hausmüll auch mehr bezahlen muss. Ist das eine gute Idee?

A How to structure an argument

One of the most challenging tasks in German is writing an essay. Frustrating though it may seem, there is no perfect formula for essay writing. The core of an essay should be a coherent set of points in support of a claim. This is called an argument, and the main question is how best to structure it. Figuring out the best of all possible structures for an argument is among the most difficult tasks a student writing in German will face. Everything comes together: grammar, basic and specific vocabulary, phrases and idioms, facts, opinions, style and structure. What you intend to say will determine how you are going to say it, but first you need some general idea about how to structure it.

The model below is by no means the perfect solution but it should be useful. It gives you a framework you can work with, especially at AS and A-Level. Through practice it will help you to become more effective in your planning and structuring of essays. Your goal is to write clearly and concisely so that whoever reads your essay can appreciate your factual points, see your point of view and follow your general train of thought.

The model consists of eight sections. Move through the sections one at a time, ensuring that they have clear links to each other as you progress through your essay. The section '*Beispiele*' (examples) applies to all the other sections. It is vital to clarify your ideas with good examples, especially in a foreign language, where understanding can be difficult at times due to a lack of vocabulary. If you describe relationships, experiences and events or talk about things you have read or seen, the examples you give will help to support your ideas.

Mein Argument (my argument)
State your argument. Make sure it is interesting and that there are different sides to it.

Erklärung (explanation)
Construct a coherent and focused paragraph, in which you explain the argument.

Erläuterung (clarification)
Clarify any difficult points in the argument.

Begründung (substantiation)
Expand your argument and back it up with facts. Every point needs to be supported.

Beweis (proof/evidence)
Back up your statements with some evidence. Statistical material can be helpful here.

Gegensätze (antithesis)

Acknowledge other points of view. Discuss the strengths and weaknesses of the opposing views. Evaluate them, dismiss the ones you consider weak, and refute the stronger ones.

Informieren (informing) — Überzeugen (convincing) — Kommentieren (commenting)

You will want to write something that helps the reader to understand your topic, to convince them of your argument or to see the topic in a new way. But you need to do more than that: you need to construct an informed argument in which you differentiate between what you **know** and what you **think** about the topic. You want to inform and you want to argue. Structuring the argument is helpful in this movement from what you know about a topic to what you think. Your personal opinions play an essential role within the argument and this is the place where you should express them.

1 | *Topic area v: Society*

SUBJECT: CONFLICTS BETWEEN THE GENERATIONS

Mein Argument

Die Begegnung junger Menschen mir der Elterngeneration ist heutzutage schwierig!

Erklärung

Viele Erwachsene wollen als Autorität respektiert werden. Doch viele Jugendliche stehen diesem Autoritätsanspruch kritisch gegenüber. Daraus können Konflikte erwachsen, die in bestimmten Situationen eskalieren.

Beispiele für Erklärung

Eltern wollen derjenige sein, der entscheidet was wann wie gemacht wird. Wenn die Kinder klein sind, dann funktioniert das gut. Kleine Kinder denken, dass die eigenen Eltern alles können. Doch wenn sie älter werden, lernen sie, dass das anders ist und sie werden kritischer. Das kann zu Konflikten, wie Diskussionen und Streit, führen, bei denen es auch zu Strafen und Verboten kommt. Manche Kinder laufen sogar von zu Hause weg.

Erläuterung

Erwachsene stellen Regeln auf, verbieten Sachen oder versuchen die Kinder von ihren Ansichten zu überzeugen. Doch die jugendlichen Kinder akzeptieren nicht ohne weiteres Verbote und Meinungen der Eltern. Sie beginnen nämlich den Wert ihrer eigenen Person zu erkennen und wollen sich nichts mehr sagen und vorschreiben lassen. Sie wollen selbst entscheiden und bilden sich eigene Meinungen.

Beispiele für Erläuterung

Ansichten und eigene Meinungen von Kindern können sehr unterschiedlich sein. Während die Großeltern und Eltern Opern- und Volksmusik schön finden, bevorzugen Jugendliche eher Popmusik. Das Aussehen ist ein weiterer Streitpunkt: mit kurzen, gepflegten Haaren und wenig Schmuck macht man einen guten Eindruck, dagegen sind lange oder gefärbte Haare geschmacklos und Ohrringe bei Männern unakzeptabel. Das finden viele junge Leute nicht, und das führt natürlich zu großen Konflikten, besonders wenn zum Beispiel die Haare ohne die Erlaubnis der Eltern hellblau gefärbt werden. Auch die Schule ist klassisches Thema von Diskussionen, zum Beispiel Hausaufgaben oder schlechte Noten.

Begründung

Erwachsene waren selbst einmal in der Rolle der Kinder, jetzt ahmen sie das Verhalten ihrer Eltern nach. Erwachsene haben eine andere Beziehung zu Geld und Wohlstand. Viele Jugendliche befinden sich in der Pubertät; entwicklungsbedingt versuchen viele, in diesem Abschnitt sich selbst und das Leben besser zu verstehen. Teil dieser Suche ist ein Infragestellen aller gängigen Norme und Werte. Das bedeutet, dass die Streitereien und Konflikte ein normaler Abschnitt des Erwachsenwerdens sind. Zeitbedingt gibt es heute zusätzlich einen viel stärkeren Trend zur Mitbestimmung, zur Mitberatung, Diskussion und Gleichberechtigung. Kinder und Jugendliche werden dazu angeregt, sich zu äußern und eine eigene Meinung zu haben.

Beispiele für Begründung

Das Nachahmen des Verhaltens der eigenen Eltern besteht oft aus bestimmten Prinzipien und Strafen: 'Zwei Tage Stubenarrest haben mir auch nicht geschadet!' Ein großer Unterschied ist jedoch, da Eltern und Großeltern eine andere Beziehung zu Geld und Wohlstand haben. Das Aufwachsen in Kriegs- und Nachkriegsjahren bedeutete Entbehrungen. Moped, Computer, Handy, Kosmetika waren keine Selbstverständlichkeiten sondern Luxusgüter beziehungsweise es gab sie nicht.

Heute gehören sie zum täglichen Leben. Viele Jugendliche stellen bestimmte Regeln und Verbote in Frage: 'Warum soll man erst mit 18 Alkohol trinken?' oder 'Warum soll man jeden Sonntag in die Kirche gehen?' In der Schule lernen die Jugendlichen durch die Wahl des Klassensprechers und Diskussionen, Verantwortung für sich und andere zu tragen. Dieses Maß an Mitbestimmung möchten sie auch in der Familie realisieren.

Beweis

Die neuste Shell-Jugendstudie zeigt, dass im Alter von 14 bis 16 Jahren nur 29% aller Jugendlichen so sein wollen wie ihre Eltern; bei Jugendlichen unter 14 Jahren 54%, bei jungen Erwachsenen über 18 Jahren immerhin 37%.

Beispiel für Beweis

Die Jugendlichen in der Altersklasse 14–16 kritisieren besonders den Kleidungsstil, die Freizeitinteressen und den Musikgeschmack der Eltern.

Gegensätze

Es gibt auch positive Ansätze eines partnerschaftlichen und konstruktiven Umgangs der Generationen miteinander. In vielen Familien versucht man konstruktiv miteinander umzugehen. Kinder interessieren sich für die Interessen und Probleme der Eltern und umgekehrt. Man unternimmt Dinge gemeinsam und findet das gut. Die Großeltern sind wertvolle Ansprechpartner, die oft eine andere Perspektive haben.

Beispiele für Gegensätze

Ein positiver Ansatz ist zum Beispiel das Konzept der Großfamilie, in der alle zusammenhalten und sich gegenseitig helfen. 'Meine Mutter ist meine beste Freundin, mit ihr kann ich frei und offen über alles reden' oder 'Einmal im Monat mache ich mit meinem Vater einen gemütlichen Kneipenbummel' sind Ausdruck eines neuen Rollenverständnisses zwischen Eltern und Kind. Gerade bei berufstätigen Eltern, können die Großeltern sehr nützlich sein: 'Meine Eltern haben nie Zeit, aber zu meinen Großeltern kann ich mit allen Problemen kommen.'

Informieren — Überzeugen — Kommentieren

Alt und Jung, Eltern und Kinder, das bedeutet immer Probleme. Harmonischer, verständnisvoller Umgang, das ist die große Ausnahme. Eltern und Kinder hatten, haben und werden immer Konflikte miteinander haben. Ich bin der Ansicht, dass Erwachsene einfach nicht verstehen können, wie es in Jugendlichen aussieht. Ich glaube, dass sie ihre eigene Kindheit vergessen haben. Meiner Meinung nach ist das größte Problem, dass sich junge, alte und ganz alte Menschen für total unterschiedliche Dinge interessieren. Das fängt bei der Musik an und hört bei den Zeiten auf. Alte Menschen stehen früh auf und gehen früh ins Bett, junge Menschen feiern gern lange und wollen dann lang schlafen. Ich bin der Überzeugung, dass Eltern auch ihre Autorität ausspielen wollen. Doch viele Kinder rebellieren dagegen, besonders wenn die Regeln und Verbote dumm sind. Nein, problemlose Zeiten zwischen Eltern und Kindern wird es nie geben, aber sie gehören eben dazu!

B Different viewpoints

Before you consider your stand on a particular topic, make sure you have viewed the topic from different perspectives. Each perspective represents a different focus or direction from which you approach the topic. Follow these seven steps:

Step 1: What is your stance on the topic?
Before reading, analysing and thinking about a topic, ask yourself what your current position on it is.

Step 2: What do you know about the topic?
What facts, figures and information do you already have? Are there any gaps? How can you fill the gaps? Can you speak to family and friends? Can you find a book in the library? Are there any useful articles in newspapers or magazines? Are there any television programmes on the topic?

Step 3: How do you feel about the topic?
What are your feelings about the topic? Do you feel strongly about it? Have you got an extreme position or do you have mixed feelings and understand both sides?

Step 4: Positive elements
What are the hard facts, the main arguments in favour of your position?

Step 5: Negative elements
What are the hard facts, the main arguments against your position?

Step 6: Are there any solutions, compromises, new ideas?
You need to be creative; can you think of unusual solutions, of alternatives that allow an acceptable compromise? Are there any totally new ideas and new ways of dealing with the situation that are worth considering?

Step 7 (after completing the first six steps): What is your stance on the topic now?
You should be able to express a more balanced view now. Has your stance changed — do you need to alter your position? Have you discovered things you didn't know about before?

1 Topic area viii: The world of school and work

SUBJECT: THE PROS AND CONS OF SCHOOL UNIFORM

Schritt 1 (step 1): meine Haltung
Ich bin absolut gegen Schuluniform!

Schritt 2: die Fakten

- In Deutschland gibt es fast gar keine Schuluniformen.
- Ausnahme: ein paar Privatschulen.
- In England tragen die Mehrzahl der Schüler in Grund- und weiterführenden Schulen eine Uniform.
- Jede Schule hat ihre eigene Uniform.
- Die Uniformen der verschiedenen Schulen unterscheiden sich hauptsächlich durch die Farbe und die Wahl der Kleidungsstücke.
- Traditioneller ist das Tragen von Blazern mit Krawatte, moderner das Tragen von Sweatshirts.
- Die Schuluniform muss von den Eltern für die Kinder gekauft werden.
- An den meisten Schulen gibt es auch für den Sportunterricht eine spezielle Uniform.

Schritt 3: die Emotionen

- Ich finde es schrecklich, wenn ich eine bestimmte Farbe tragen muss, obwohl mir die Farbe überhaupt nicht steht.
- Schuluniform ist total unpraktisch und idiotisch, besonders Blazer im Hochsommer.
- Ich hasse es, wenn Mädchen gezwungen werden, Röcke zu tragen.
- Ich liebe es, wenn ich morgens je nach Wetter und Laune meine Kleidung aussuchen kann.
- Ganz toll finde ich es, wenn ich ein neues Kleidungsstück trage und Komplimente von meinen Freunden, manchmal sogar von einem Lehrer, bekomme.

Schritt 4: die Vorteile

- Schuluniform fördert die äußere Gleichberechtigung der Schüler.
- Man kann nicht von der Kleidung auf die soziale Herkunft schließen.
- Schüler, die sich keine Markenklamotten leisten können, werden nicht mehr gehänselt oder schikaniert.
- Schüler ohne Markenklamotten werden ausgegrenzt; dadurch fühlen sie sich als Menschen 2. Klasse, haben weniger Selbstbewusstsein oder schämen sich.
- Alle Schüler tragen eine Uniform: die eine heißt Schuluniform, die andere heißt Markenkleidung; die erste ist billiger.
- Schüler sparen morgens Zeit, weil die Auswahl der Kleidung entfällt.
- Uniform unterstützt die Identifikation mit der Schule.
- Schuluniform wirkt ordentlich.
- Bei Konflikten unter Schülern verschiedener Schulen ist eine Feststellung der Identität einfacher, weil man den Schüler der Schule zuordnen kann.

Schritt 5: die Nachteile

- Schuluniform kostet auch eine Menge Geld.
- Schikane von Schülern gibt es immer, mit oder ohne Uniform.
- Schüler werden immer gehänselt, nicht nur wegen der Kleidung, sondern wegen des Füllers, der Pickel, der Zahnspange, der Brille, etc.
- Kleidung ist ein Ausdruck von Freiheit und Individualität.
- Man kann sich nicht mehr über einen bestimmten Kleidungsstil definieren, sondern nur noch über gute Noten; das bevorteilt die besseren Schüler.

- Trotz Schuluniform gibt man Geld für andere Klamotten aus, für die Nachmittage, Abende und Wochenenden.
- Die Schikane der Schüler ohne Markenkleidung wird vom Vormittag, wo ein Lehrer noch helfen könnte, auf den Nachmittag und das Wochenende verschoben, wo kein Lehrer anwesend ist.
- Schüler werden schikaniert, weil sie eine bestimmte Schule besuchen, zum Beispiel eine Schule mit schlechtem oder gutem Ruf.

Schritt 6: ungewöhnliche Lösungen

- Modische Schuluniformen, also zum Beispiel edle Jeans.
- Verträge mit bekannten Modehäusern oder Sportartikelherstellern, die Kleidung und Schuhe für die Schule entwerfen: Gleichheit ja, aber chic!
- Das Tragen professioneller Kleidung für alle, Lehrer und Schüler, also Kleidung, die man im Geschäftsleben tragen würde.
- Schuluniform mit Freiheiten; Jacke und Hose/Rock vorgeschrieben, Schuhe, Gürtel, Halstücher, Schals, Schlipse frei wählbar.

Schritt 7: meine (neue) Position

- Ich bin noch immer gegen Schuluniform.
- Ich habe jetzt aber bessere Argumente.
- Das einzige gute Argument für Schuluniform ist, dass Schüler nicht mehr wegen ihrer Kleidung schikaniert werden.
- Die Kleidung ist heutzutage sehr wichtig, coole Kleidung bedeutet gutes Image.
- In meiner Schule werden einige Schüler wegen ihrer Kleidung schikaniert, aber nicht nur wegen ihrer Kleidung.
- Schikane gehört leider zum Leben dazu, sie findet nicht nur in der Schule statt.
- Schuluniform bekämpft nicht die Ursachen des Problems sondern die Symptome.

C Synonyms: building up vocabulary

If you are going to write about school you will be using the word 'students' a lot. To avoid being repetitive you could try to think of an alternative word that has the same or a similar meaning, such as 'pupils'. Words that have the same or almost the same meaning are called synonyms. There are many examples in English and German.

The wall was made of **rocks**.
The wall was made of **stones**.

Wir fahren mit dem **Wagen** in Urlaub.
Wir fahren mit dem **Auto** in Urlaub.

As the definition of synonyms indicates, there are words which have **almost** the same meaning, which can be a problem, especially in a foreign language.

If you are searching for an alternative word, you must be sure that the synonym chosen is accurate and precise. You don't want to replace the word with another word that is inexact.

Synonyms relating to all ten major topic areas are shown in this unit. All the synonyms listed lie within a close range to the sense of the word with which they correspond. Brief sample sentences, used within the context of each major topic area, show how the synonyms can be used and clarify their precise meaning.

Recognising synonyms is a skill. All the major examination boards test the ability to identify German synonyms in written and spoken language. If you practise identifying and swapping words with their synonyms, you will increase your vocabulary and raise your awareness of the language. Vocabulary that you already know will be reinforced, new words will be introduced. This is a good way of improving all four language skills — listening, reading, speaking and writing — which makes it a useful revision tool.

1 Topic area i: Current affairs

Viele Leute in Deutschland suchen…

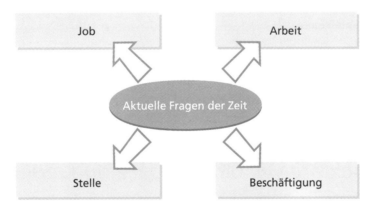

Antworten
- …einen Job.
- …eine Arbeit.
- …eine Beschäftigung.
- …eine Stelle.

Beispielsätze
- Für die 6 Wochen Sommerferien suche ich mir einen Job (nicht ständige Tätigkeit).
- Macht Ihnen Ihre Arbeit (Beruf) Spaß?
- Es ist schwierig eine Beschäftigung (einen Arbeitsplatz) auf dem Arbeitsmarkt zu finden.
- Ich bin zufrieden mit meiner neuen Stelle (bestimmte Beschäftigung bei einer Firma).

2 Topic area ii: Foreign affairs

Die Kultur und Religion vieler ausländischer Mitbürger ist...

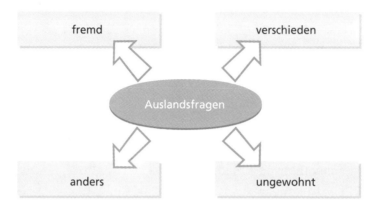

Antworten

- ...fremd.
- ...verschieden.
- ...ungewohnt.
- ...anders.

Beispielsätze

- Ich finde die fremden (von einem anderen Land oder Volk) Sprachen faszinierend.
- Du hast verschiedene (nicht gleich, sondern unterschiedlich) Möglichkeiten.
- Kartoffeln zum Frühstück, das ist ungewohnt (nicht wie immer).
- Das kann man auch anders (auf unterschiedliche Weise) sagen.

3 Topic area iii: German-speaking regions and Europe

Europa ist wichtig, aber noch wichtiger ist mir...

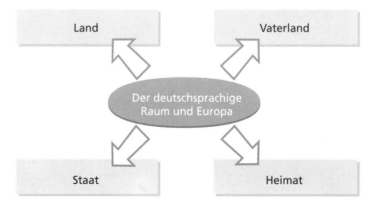

Antworten
- …mein Land.
- …mein Vaterland.
- …meine Heimat.
- …mein Staat.

Beispielsätze
- Mein Land (Staat) heißt Bundesrepublik Deutschland.
- Ich war viele Jahre in Frankreich glücklich, aber Österreich bleibt mein Vaterland (Land, dem sich jemand verbunden fühlt, weil er dort geboren wurde).
- Köln ist meine Heimat (Ort, dem sich jemand verbunden fühlt), nur da fühle ich mich zu Hause.
- Der Staat (z.B. Regierung, Parlament, Gerichte) ist für die Bürger eines Landes verantwortlich.

4 Topic area iv: Free time and holidays

Im Urlaub und in seiner Freizeit möchte man…

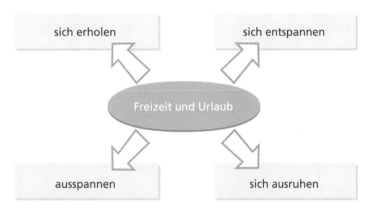

Antworten
- …sich erholen.
- …sich entspannen.
- …sich ausruhen.
- …ausspannen.

Beispielsätze
- Er erholt sich (sich nach körperlicher Anstrengung, Krankheit, harter Arbeit regenerieren) dieses Jahr in den Alpen.
- Bei ruhiger Musik und einem Glas Rotwein kann ich mich gut entspannen (sich von Stress freimachen).
- Heute Abend spiele ich kein Basketball, denn ich muss mich ausruhen (von anstrengenden Tätigkeiten erholen).
- Nach dieser Wanderung muss ich erst mal eine Stunde ausspannen (sich ausruhen).

5 Topic area v: Society

Oft…Kinder mit ihren Eltern.

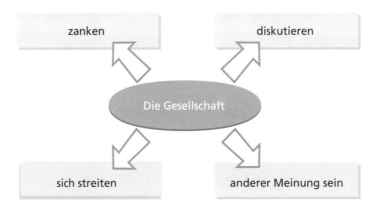

Antworten

- …zanken…
- …diskutieren…
- Oft sind Kinder anderer Meinung als ihre Eltern.
- …streiten sich…

Beispielsätze

- Martin, bitte zanke (streiten) nicht mit deiner kleinen Schwester.
- Mit unserem Deutschlehrer kann man toll diskutieren (Argumente und Meinungen austauschen).
- Meine Großeltern haben über Geld eine andere Meinung (unterschiedlicher Ansicht sein) als ich.
- Die neuen Nachbarn streiten sich (diskutieren, manchmal lautstark, und eine andere Meinung haben) jeden Tag.

6 Topic area vi: Health issues

Gesunde(s)…ist wichtig, dann lebt man auch länger!

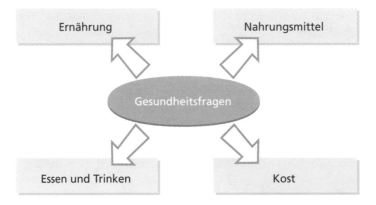

Antworten

- Gesunde Ernährung…
- Gesunde Nahrungsmittel sind wichtig, denn…
- Gesunde Kost…
- Gesundes Essen und Trinken…

Beispielsätze

- Mein Arzt kritisiert meine Ernährung (alles was man isst und trinkt).
- In vielen Ländern Afrikas mangelt es an Nahrungsmitteln (natürliche und künstliche Produkte für die Ernährung).
- Er lebt seit Wochen nur von Natur- und Rohkost (Nahrung).
- Für Essen und Trinken (Lebensmittel, Gerichte) gibt er viel Geld aus.

7 Topic area vii: Media and culture

In der Zeitung gibt es viele…zu verschiedenen Themen.

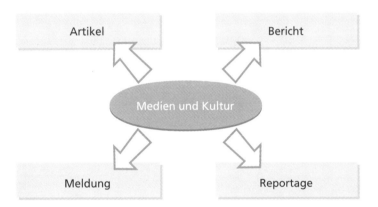

Antworten

- …Artikel…
- …Berichte…
- …Reportagen…
- …Meldungen…

Beispielsätze

- Der Artikel (Beitrag in einer Zeitung oder Zeitschrift) ist gut geschrieben.
- Nächste Woche muss ich den Bericht (schriftliche oder mündliche Darstellung) abgeben.
- Ich finde die Reportage (Medienbericht über ein aktuelles Thema) über Spanien richtig langweilig.
- Vor 5 Minuten kam die Meldung (offizielle Information) über den Unfall.

8 Topic area viii: The world of school and work

In ihrem neuen Job…sie viel mehr Geld.

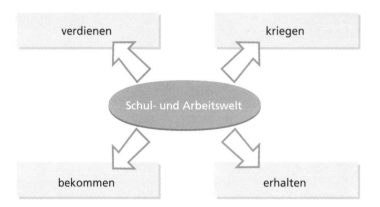

Antworten

- …verdient…
- …kriegt…
- …erhält…
- …bekommt…

Beispielsätze

- Der Manager verdient (als Lohn oder Gehalt erhalten) 10.000,- DM im Monat.
- Obwohl er schon lange sucht, kriegt (bekommen, erhalten) er einfach keine Arbeit.
- Haben Sie nicht gestern ein Paket erhalten (bekommen)?
- Du hast Post aus Australien bekommen (erhalten, kriegen).

9 Topic area ix: Technology

Viele ältere Menschen…vor der Computertechnik.

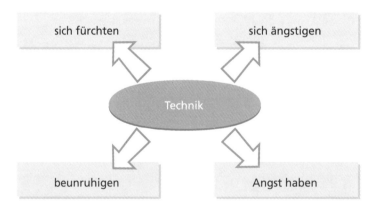

Antworten

- …fürchten sich…
- …ängstigen sich…
- …haben Angst…
- Viele ältere Menschen beunruhigt die Computertechnik.

Beispielsätze

- Ich fürchte mich (Angst, Sorgen haben) vor dem Fliegen.

- Sie ängstigen sich (vor jemandem oder etwas Angst haben) vor dem Gewitter.
- Er hat Angst (unangenehmes Gefühl haben, Furcht) vor der Mathematik-Prüfung.
- Die schlechten Nachrichten haben sie stark beunruhigt (in Sorge und Aufregung versetzen).

10 Topic area x: The environment

Ich wünsche mir, dass meine Kinder…Luft atmen können.

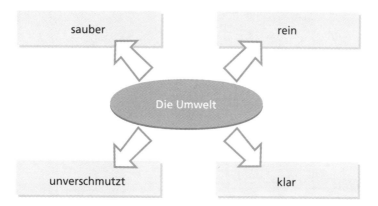

Antworten
- …saubere…
- …reine…
- …klare…
- …unverschmutzte…

Beispielsätze
- Die Wäsche ist wirklich sauber (rein, ohne Schmutz).
- Sie hat eine reine (sauber und makellos) Haut.
- Das Wasser ist heute sehr klar (rein und durchsichtig).
- Dieser See ist unverschmutzt (nicht mit Schmutz und Dreck verunreinigt).

D Taking notes

The notes you take during an AS or A-level course are an extremely important source of information for your revision and preparation for your examinations. The better the quality of your notes the more useful they will be. There are many ways to improve your note-taking; one simple and effective method, called 'smart note-taking', is outlined below.

First, look at an example of 'standard note-taking' — generally done during a lesson on a sheet of paper with a title and the date.

1 Standard note-taking

11–02–2002   *Probleme von Ausländern in Deutschland*

- *Schlechte Wohnverhältnisse, Asylbewerberwohnheime, minderwertig Wohnungen*

- *Schlechte berufliche Situation, wenig begehrte und einfache Berufe, z.B. in Gastronomie, Müllabfuhr*

- *Schlechte Schulbildung, hoher Anteil von Analphabeten, Kinder die keine Schule besuchen, Schüler ohne Hauptschulabschluss*

- *Wenig Kommunikation mit einheimischer Bevölkerung, Abgrenzung, Ghettos*

- *Schwierigkeiten bei der Ausübung ihrer Religion und Kultur*

- *Rassismus, Diskriminierung, Ablehnung, Misstrauen*

2 Smart note-taking

You could easily adapt the above notes and use the smart note-taking method by setting them out again as follows:

HEADER

Draw a horizontal line at the top of the page as in the example on p. 103. There should be enough room for the date, the title of the lesson and a general categorisation, such as 'grammar', 'vocabulary' or 'topic work'. Numbering the pages will help your general organisation. If the content is topic work there should also be some reference to the general topic area being covered.

COLUMNS

Divide the page vertically into two columns. The left-hand column should take up roughly $\frac{1}{4}$ the width of the page, the right-hand column $\frac{3}{4}$. The right-hand column is used to record the information from the lesson. The left-hand column is to be used after the lesson.

You will frequently write down information in class without checking it. After the lesson, at school or at home, you should reread and work through the sheet again — the sooner the better. The longer you leave this the more difficult it will be to remember what certain words and sentences mean. Use the left-hand column to make notes if you:
- don't understand a particular word — look it up and write down the translation

- don't understand a particular point — write questions in pencil and make sure that you check them in the next lesson
- make any mistakes in the lesson — note down the correct information/ spelling in the right-hand column
- have any useful information to add or want to highlight important points

FOOTER

The bottom section of your sheet should be big enough to record keywords and questions that you can use for practice in the future. These should summarise the information recorded. The footer of each page will serve an important function: you should be able to memorise and recall the essential information on the sheet by just looking at it. Your file will be full of notes, but the footers will provide the essential questions and keywords — just what you want when you revise for a subject.

Probleme von Ausländern in Deutschland (Topic area ii: Auslandsfragen)

11-02-2002   Seite 173

Asylbewerber = asylum seeker	• Schlechte Wohnverhältnisse, Asylbewerberwohn heime, minderwertige Wohnungen
Was sind begehrte Berufe?	• Schlechte berufliche Situation, wenig begehrte und einfache Berufe, z.B. in Gastronomie, Müllabfuhr
	• Schlechte Schulbildung, hoher Anteil von Analphabeten, Kinder die keine Schule besuchen, Schüler ohne Hauptschulabschluss
	• Wenig Kommunikation mit einheimischer Bevölkerung, Abgrenzung, Ghettos
Ausübung = practice	• Schwierigkeiten bei der Ausübung ihrer Religion und Kultur
Warum Misstrauen?	• Rassismus, Diskriminierung, Ablehnung, Misstrauen
	Bei Ausländern mit dunkler Hautfarbe wird keinUnterschied gemacht: `Die sind doch alle gleich' (Generalisierung).

Probleme von Ausländern (7 Punkte)
Schlüsselwörter: Asylbewerberwohnheime, Berufe, Schulbildung, Kommunikation, Religion, Rassismus, Generalisierung

---

UNIT 6 Coursework and topic papers

This unit will help you if you are doing coursework or if you are preparing a topic or culture paper. The topics are selected from those currently set by the major examining bodies.

For each section you will find a list of key points followed by a series of German questions, which outline the topic and give you a framework of the basic elements you need to consider before you choose a specific area of interest. It would be impossible for you to cover all the points listed here in one examination paper, but they will give you plenty of ideas about the scope of the topic. You must, however, focus on one particular area of interest within the topic in order to meet the assessment criteria such as analysis, consideration of viewpoints, development, critical discussion of issues, investigation etc. The models can be adapted for whichever topic you plan to research. For example, the first section of the unit provides an outline for the study of **any** German-speaking region.

A A German-speaking region

1 Bevölkerung

Wie viele Menschen leben in der Region?
- Wie hoch ist die Bevölkerungszahl (in Millionen)?
- In welchem Teil der Region leben die meisten Menschen?

Steigt oder fällt die Bevölkerung?
- Gibt es eine Bevölkerungsabnahme oder nimmt die Bevölkerung zu (in Prozent)?
- Wie ist das Wanderungsverhalten (Landflucht, Stadtflucht)?

Wie hoch ist die Bevölkerungsdichte?
- Gibt es in der Region Gebiete mit hoher/niedriger Bevölkerungsdichte?
- Wie ist die Bevölkerungsdichte im Vergleich zur Bundesrepublik?

Wie hoch ist der Anteil junger/alter Menschen?
- Leben im Vergleich zur Bundesrepublik mehr oder weniger junge Menschen in der Region und was sind die Gründe dafür?
- Leben im Vergleich zur Bundesrepublik mehr oder weniger alte Menschen in der Region und was sind die Gründe dafür?

Wie hoch ist der Anteil ausländischer Mitbürger?
- Wie hoch ist der Ausländeranteil im Vergleich zur Bundesrepublik?
- Welche Ausländergruppen sind am stärksten vertreten und warum ist das so?
- Hat die Region einen hohen Anteil an Aussiedlern, Asylbewerbern, Flüchtlingen?
- Leben die Ausländer relativ verteilt oder gibt es eher Gebiete mit einem überdurchschnittlich hohen Ausländeranteil (Ghettoeffekt)?

Wie gut ist die Versorgung der Bevölkerung?
- Gibt es genügend Wohnmöglichkeiten (Wohnungsnot)?
- Gibt es genügend preiswerten Wohnraum?
- Wie ist das Verhältnis von Mietwohnungen zu Eigentumswohnungen und Privathäusern?

Gibt es große soziale Probleme?
- Gibt es Gebiete/Stadtteile mit großen sozialen Problemen?
- Was sind dort die größten Probleme, welches Ausmaß an Kriminalität, Arbeitslosigkeit oder Drogenmissbrauch gibt es?

Gibt es genug Kindertagesstätten und Kindergärten?
- Hat jedes Kind einen Kindergartenplatz?
- Sind die Plätze teuer?
- Gibt es genügend Kindertagesstätten für berufstätige Eltern?

Was wird für die Senioren getan?
- Gibt es genügend bezahlbare Seniorenheime?
- Gibt es auch mobile Dienste, die die älteren Menschen zu Hause versorgen?

Was wird für die Behinderten getan?
- Gibt es ein ausreichendes Bildungs- und Freizeitangebot für Behinderte?
- Wie gut ist die medizinische/soziale Versorgung der Behinderten?
- Welche Möglichkeiten gibt es für Behinderte auf dem Arbeitsmarkt?
- Wie gut ist das Freizeitangebot für Behinderte?

2 | *Geographie*

Wo genau liegt die Region?
- In welchem Teil des Landes liegt die Region?
- Gibt es größere Städte in der Nähe der Region?

Grenzt die Region an andere Länder/besondere Regionen?
- Hat die Region Grenzen mit anderen Ländern (EU-Länder/Nicht-EU-Länder)?
- Hat die Region Grenzen mit besonderen Regionen (Tourismuszentren)?

Gibt es viele Grünflächen?
- Gibt es viele Wald- und Wiesengebiete?
- Gibt es Naturschutzgebiete?

Gibt es bedeutende Gewässer?
- Gibt es große Flüsse oder Seen?
- Liegt die Region am oder in der Nähe vom Meer?

Gibt es besondere klimatische Bedingungen?
- Ist es eine Region mit viel Niederschlag, Wind, Fön?
- Wird die Region durch bestimmte Großwetterlagen beeinflusst?

Wie sind die Jahreszeiten?
- Sind die Winter kalt und schneereich?
- Sind die Sommer heiß und trocken?
- Kommt es zu Überschwemmungen in Herbst und Frühjahr?

Gab es in der Vergangenheit irgendwelche Naturkatastrophen?

- Gab es schwere Unwetter, Stürme, Erdbeben?
- Gab es extremen Schneefall oder Überschwemmungen?

Wie sind die Böden beschaffen?

- Was für Bodenarten gibt es?
- Gibt es Bodenschätze/Rohstoffe?
- Sind die Böden für die Landwirtschaft geeignet/ungeeignet?

Gibt es Berge oder Gebirgszüge in der Region?

- Was ist die höchste Erhebung in der Region?
- Bestimmen Gebirgszüge das Klima der Region?
- Spielen die Bergregionen touristisch/wirtschaftlich eine Rolle?

Wie ist die Siedlungsstruktur?

- Was sind die Ober-, Mittel- und Unterzentren?
- Gibt es ein großes Zentrum oder eher viele kleine Zentren?
- Ist die Siedlungsstruktur eher ländlich oder städtisch?

3 | Geschichte

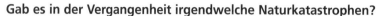

Wie alt ist die Region?

Wann wurden die ersten Dörfer und Städte erwähnt?

- Hat die Region zu unterschiedlichen Ländern, Fürstenhäusern oder Königreichen gehört (z.B. Saarland)?

Hat die Region eine besondere Rolle im Mittelalter gespielt?

- Spielte die Region im Mittelalter eine besondere Rolle?
- Gibt es noch mittelalterliche Orte oder Städte mit erhaltenen Gebäuden?

Hat die Region eine besondere Rolle vor dem 19. Jahrhundert gespielt?

- Spielte die Region vor dem 19. Jahrhundert eine Rolle?
- Ist davon heute noch etwas zu spüren (z.B. Gebäude, Denkmäler)?

Hat die Region eine besondere Rolle im 19. Jahrhundert gespielt?

- Spielte die Region im 19. Jahrhundert eine Rolle?
- Ist davon heute noch etwas zu spüren (z.B. Bauwerke, Namen)?

Hat die Region eine besondere Rolle im 1. Weltkrieg gespielt?

- Spielte die Region im 1. Weltkrieg eine Rolle?
- War die Region Ort bekannter Schlachten?

Hat die Region eine besondere Rolle vor und im 2. Weltkrieg gespielt?

- Spielte die Region vor und im 2. Weltkrieg eine Rolle?
- Wie erfolgreich waren die Nazis in der Region?
- Welche Rolle spielte die jüdische Bevölkerung in der Region?
- Gibt es noch Orte die an die Kriege erinnern, z.B. Ehrenmäler für gefallene Soldaten?

Welche Rolle hat die Region nach 1945 gespielt?

- In welchem Besatzungsgebiet lag sie?

- Wie entwickelte sich die Region in den ersten Jahren nach Kriegsende, insbesondere im Vergleich zu anderen Regionen?
- Spielte die Region im 20. Jahrhundert eine wichtige Rolle?

Inwieweit wurde die Region durch die Entwicklungen in Deutschland beeinflusst?
- Hat die DDR die Region beeinflusst?
- Hat die Bundesrepublik die Region beeinflusst?

Gibt es noch Feste, Ehrungen oder besondere Anlässe, die an die besondere Rolle in der Geschichte erinnern?
- Gibt es Gedenktage, Umzüge, historische Feste?
- Wurden Städte-, Straßen- oder Plätzenamen geändert?

Ist die Region heute eine wichtige Region?
- Spielt sie eine zentrale Rolle?
- Ist die Region eher unbekannt?

4 Bildung und Kultur

Wie ist das Bildungsangebot?
- Wie viele Gymnasien, Realschulen und Hauptschulen gibt es?
- Gibt es Gesamtschulen?
- Gibt es Privatschulen, Volkshochschulen?
- Welches System der Oberstufe gibt es in der Region?

Gibt es Fachhochschulen und Universitäten?
- Wie viele Fachhochschulen und Universitäten gibt es?
- Welche Fächer kann man an ihnen studieren?

Wie ist das kulturelle Angebot?
- Gibt es Theater, Opernhäuser, Konzerthallen?
- Gibt es interessante Messen oder Veranstaltungen, z.B. Jahrmärkte?

Spielt die Kunst in der Region eine große Rolle?
- Gibt es Kunsthallen, Museen, Galerien, Ausstellungen?
- Inwieweit wird die Kunst in der Region gefördert?

Wie ist das Sportangebot?
- Was für Sportanlagen gibt es?
- Welche Sportarten kann man im Winter treiben?
- Welche Sportarten kann man im Sommer treiben?

Gibt es besonders erfolgreiche Sportvereine?
- Gibt es Mannschaften, die in der Bundesliga spielen?
- Gab es in der Vergangenheit besonders erfolgreiche Mannschaften?

Wie ist das Freizeitangebot?
- Was für Freizeitanlagen gibt es, z.B. Parks, Fußgängerzonen?
- Gibt es kostengünstige Freizeitangebote?

Wie sieht das Angebot für junge Leute aus?
- Gibt es Sport- und Freizeitangebote speziell für Jugendliche?

Gibt es attraktive Veranstaltungen?

- Welche Veranstaltungen gibt es im Karneval?
- Welche Veranstaltungen gibt es zur Weihnachtszeit, z.B. Konzerte, Weihnachts-märkte?
- Gibt es besondere Veranstaltungen in der Ferienzeit?

Welche besonderen Erholungsmöglichkeiten gibt es?

- Gibt es Schwimmbäder, Kuranlagen oder ähnliches?
- Gibt es Stadtführungen?
- Sind die klimatischen Bedingungen günstig, z.B. aus medizinischer Sicht?

Spielt der Tourismus eine große Rolle?

- Ist der Tourismus eine wichtige Einnahmequelle für die Region?
- Wie wird der Tourismus gefördert?

Gibt es Organisationen, die sich um den Tourismus kümmern?

- Gibt es Tourismuszentralen, die für die Region werben?
- Gibt es Informationsbüros, die Touristen Auskunft geben?
- Ist die Region im Internet vertreten?

Wie sieht es mit Übernachtungsmöglichkeiten aus?

- Gibt es genügend Übernachtungsmöglichkeiten in verschiedenen Preisklassen, z.B. billige Pensionen und teure Luxushotels?
- Gibt es Jugendherbergen und Campingplätze?

Wie ist das gastronomische Angebot?

- Gibt es gut-bürgerliche Gasthöfe mit lokalen Spezialitäten?
- Gibt es gehobene Gastronomie und Spitzenrestaurants?
- Gibt es für die Region typische Wein- oder Bierlokale?

Welche attraktiven Einkaufsmöglichkeiten für Touristen gibt es?

- Gibt es Geschäfte für Andenken und Souvenirs?
- Gibt es Fußgängerzonen, Warenhäuser und Einkaufszentren?

Kommt es durch den (ausbleibenden) Tourismus zu Problemen?

- Führen die hohen/niedrigen Tourismuszahlen zu Problemen, z.B. leere/überfüllte Hotels, leere/überfüllte Innenstädte, Verlust der eigenen Identität oder hohe Einnahmen?
- Wie geht man mit diesen Problemen um?

Gibt es attraktive Grünflächen?

- Gibt es Waldgebiete, Parks oder Gebirgslandschaften mit ausgewiesenen Wandernetzen?
- Werden diese Grünflächen gepflegt?

8   Umwelt

Welche Abfallsysteme gibt es?

- Wie viele Mülltonnen hat ein normaler Haushalt?
- Was kommt in die jeweiligen Mülltonnen?

- Welche Abfälle werden separat gesammelt, wie etwa Problemmüll (z.B. Farben) oder Sondermüll (z.B. Autobatterien)?

Welche Müllentsorgungssysteme gibt es?
- Wie wird Hausmüll entsorgt, z.B. auf Deponien, Müllverbrennung?
- Gibt es andere Entsorgungsmöglichkeiten, z.B. Kompostwerke für Gartenabfälle?

Inwieweit spielt Recycling eine Rolle?
- Gibt es ausreichend Recycling-Sammelstellen?
- Was kann gesammelt werden?

Wie sauber ist die Luft?
- Wird die Luft durch Industrien in der Region/aus anderen Regionen verschmutzt?
- Wie sauber ist die Luft im Vergleich zu anderen Regionen?
- War die Luft früher verschmutzter?
- Was wurde/wird für saubere Luft getan?

Wie sauber ist das Trinkwasser?
- Wie sauber ist das Trinkwasser, was für einen PH-Wert hat es?
- Wie sauber und wie gut ist es im Vergleich zu anderen Regionen?
- Woher kommt das Trinkwasser?
- Wie werden die Abwässer der Haushalte entsorgt?

Wie sauber sind die Gewässer?
- Werden Seen oder Flüsse in oder außerhalb der Region verschmutzt?
- Gibt es Bademöglichkeiten?
- Gibt es einen hohen Fischbestand?
- Hat sich der Verschmutzungsgrad der Gewässer in den letzten Jahrzehnten verbessert?
- Was wurde/wird für den Gewässerschutz getan?

Sind bestimmte Gebiete besonders von Umweltverschmutzung betroffen?
- Gibt es Unterschiede innerhalb der Region, das heißt sind bestimmte Gebiete in der Region von Umweltverschmutzung besonders stark betroffen?
- Gab es in der Vergangenheit größere Umweltskandale?

Ist die Region ein offizielles Erholungsgebiet?
- Ist die Region ein offizielles Erholungsgebiet, hat sie z.B. Kuranlagen oder trägt eine der Städte 'Bad' im Namen?
- Inwieweit ist die Infrastruktur touristisch geprägt (z.B. Ausschilderung, Übernachtungsmöglichkeiten, Informationsmaterial)?

In welchem Maße belastet die Wirtschaft die Umwelt?
- Welche Wirtschaftsbereiche belasten die Umwelt am stärksten, z.B. Flughäfen, Autobahnen, Fabriken, Landwirtschaft?
- Was wird dagegen unternommen?

Wie sieht die Umweltpolitik der Parteien aus?
- Was sind die Ziele der regionalen Parteien in der Umweltpolitik?
- Gibt es umstrittene Umweltprojekte, z.B. neues Kraftwerk oder neue Flughafen-Startbahn?

9 *Verkehr*

Wie sieht das Straßennetz aus?
- Lassen sich in der Region alle Orte dank gut ausgebauter Straßen schnell erreichen?
- Gibt es viele Autobahnen und mehrspurige Schnellstraßen?
- Gibt es Strecken mit hohem Unfallrisiko, und wenn ja, warum ist das so?

Sind größere Straßenprojekte geplant?
- Ist der Bau von Straßenprojekten geplant, z.B. Ortsumgehungen?
- Sollen bestimmte Strecken ausgebaut werden?
- Kommt es dabei zu Protesten aus der Bevölkerung?

Gibt es Tempolimits?
- Gibt es ein Tempolimit auf Autobahnen oder Schnellstraßen?
- Gibt es 'Tempo 30-Zonen' in Städten und Gemeinden?

Welche Parkmöglichkeiten gibt es?
- Gibt es in den Städten 'Park-and-ride-Systeme'?
- Gibt es in den Städten ausreichend Parkmöglichkeiten?
- Wie teuer ist das Parken?
- Kommt es zu bestimmten Zeiten zu Parkproblemen, z.B. bei Sportveranstaltungen, Weihnachtszeit, am Samstagvormittag?

Wie gut sind die öffentlichen Verkehrsmittel?
- Wie gut ist das Angebot an Bus- und Bahnverbindungen?
- Wie sehen die Fahrpläne am Abend und Wochenende aus?
- Gibt es andere Verkehrsmittel wie S-Bahn, U-Bahn oder Straßenbahn?
- In welchem Zustand und wie zuverlässig sind die Verkehrsmittel?
- Gibt es ausreichend Taxis?

Gibt es Anreize öffentliche Verkehrsmittel zu benutzen?
- Gibt es Vergünstigungen für Pendler?
- Gibt es Vergünstigungen für Schüler, Studenten und Senioren?

Gibt es Flughäfen?
- Gibt es Großraumflughäfen?
- Welche Städte und Länder kann man vom Flughafen aus direkt erreichen?
- Gibt es kleinere Sportflughäfen?

Gibt es ein gutes Radwegenetz?
- Wie viele Radwege gibt es?
- Sind neue Wege geplant?

Wie gut kann man größere Städte erreichen?
- Wie gut sind die Anschlussmöglichkeiten an Hauptverkehrsstrecken, z.B. Anschluss an Autobahnen und ICE-Bahnstrecken?

Kommt es in der Region häufig zu Verkehrsproblemen?
- Gibt es zu bestimmten Zeiten Staus auf den Straßen, z.B. in der Ferienzeit, im Feierabendverkehr?
- Kommt es in den Innenstädten zu Verkehrsproblemen?

10 | Wirtschaft

Was für Industrien gibt es?

- Welche Industriebranchen gibt es (z.B. chemische Industrie, Automobilindustrie)?
- Gibt es eher viele kleine mittelständische Unternehmen oder wenige Großbetriebe?
- Haben bestimmte Industriebranchen der Region Tradition?

Was für eine Rolle spielt die Industrie in der Region?

- Arbeitet die Mehrzahl der Personen in der Industrie?
- Müssen viele Personen die Region verlassen, um zu ihrem Arbeitsplatz zu kommen?
- Hat die Industrie in der Vergangenheit eine größere Rolle gespielt, und wenn ja, warum war das so?

Welche landwirtschaftlichen Produkte werden angebaut?

- Werden Gemüse oder Obst angebaut?
- Was für andere landwirtschaftlichen Produkte gibt es?

Welche Rolle spielt die Landwirtschaft?

- Wie viele Menschen arbeiten in der Landwirtschaft?
- Gibt es eher viele kleinere oder wenige große Betriebe?
- Welche Rolle spielt der Öko-Landbau?

Welche Rolle spielt das Handwerk?

- Wie viele Menschen arbeiten im Handwerk?
- Hat das Handwerk Tradition in der Region?

Wie wichtig ist der Handel und Dienstleistungssektor?

- Wie viele Menschen arbeiten im Handel und Dienstleistungssektor?
- Welche Art von Dienstleistungen gibt es?

Wie ist die Situation auf dem Arbeitsmarkt?

- Wie hoch ist die Arbeitslosigkeit?
- Wie viele freie Stellen gibt es?
- Gibt es innerhalb der Region Unterschiede auf dem Arbeitsmarkt?

Welche Personengruppen sind von der Arbeitslosigkeit besonders betroffen?

- Sind bestimmte Personengruppen besonders betroffen, z.B. Frauen, Jugendliche, Arbeitslose?
- Gibt es bestimmte Arbeitsförderungsprogramme oder andere Maßnahmen der Arbeitsämter und Regierung gegen Arbeitslosigkeit?

Wie sieht die Energieversorgung der Region aus?

- Mit welchen Energien werden die Haushalte und die Wirtschaft versorgt?
- Hat sich die Energieversorgung in den letzten Jahren verändert, beziehungsweise, soll sich in der Zukunft verändern?

Wie sind die Einkaufsmöglichkeiten?

- Gibt es attraktive Einkaufsmöglichkeiten, z.B. Städte mit großem Angebot, Einkaufszentren auf der grünen Wiese?
- Tätigen die Menschen alle ihre Einkäufe in der Region, oder werden bestimmte Produkte auch außerhalb der Region gekauft?

B Environmental issues in German-speaking countries

1 Die Problemebene

Was sind die größten Probleme bei der Luftverschmutzung?
- Wie hoch ist die Ozonbelastung?
- Wie hoch ist die Belastung durch Schwefeldioxid?
- Wie hoch ist die Belastung durch Stickstoffe?
- Wie stark sind die Schäden an Bäumen, verursacht durch den sauren Regen?
- Welche Wirkung hat die Luftverschmutzung auf Mensch, Tier und Natur?

Was sind die größten Probleme bei der Gewässerverschmutzung?
- Was für Giftstoffe kann man finden und wie gefährlich sind sie (z.B. Schwermetalle)?
- Was passiert bei Überdüngung?
- Wie stark ist die Belastung der Flüsse und Meere mit Öl?

Was sind die größten Probleme bei der Verschmutzung und Belastung des Bodens?
- Was für Giftsstoffe/Schadstoffe kann man finden (z.B. Dioxin)?
- Welche Industrieabfälle gibt es?
- Warum gibt es so viele wilde, ungesicherte Deponien?

Inwieweit ist Lärm eine Art der Umweltverschmutzung?
- Welche Folgen haben Straßenverkehrs- und Fluglärm auf Menschen und Tiere?
- Ist das ein eher abnehmendes oder zunehmendes Problem?

Was sind die größten Probleme bei der Müllbeseitigung?
- Nimmt die Menge des Mülls ab oder zu?
- Steigt oder fällt die Sortenvielfalt des Mülls?
- Was ist Sondermüll?
- Was ist Problemmüll?
- Was für Industrieabfälle gibt es, welche sind besonders schädlich/gefährlich, insbesondere für den Menschen?
- Was soll mit dem Atommüll geschehen?

Welche Probleme für die Umwelt bringt die Energieversorgung mit sich?
- Wie hoch ist das Strahlenrisiko beim Atommüll?
- Wie soll man die Entsorgung und Endlagerung des Atommülls organisieren?
- Wie hoch ist die Belastung der Luft durch fossile Brennstoffe (z.B. Zunahme des CO_2-Gehalts)?

2 Die Verursacherebene

Wer sind die Hauptverursacher der Luftverschmutzung?
- Welche Rolle spielt der Verkehr?

- Welche Rolle spielt die Industrie?
- Welche Rolle spielen die Haushalte (z.B. Kühlschränke)?

Wer sind die Hauptverursacher der Wasserverschmutzung?

- Welche Rolle spielt die Industrie?
- Was ist die Rolle der Landwirtschaft?
- Was ist die Rolle der Haushalte?

Wer verschmutzt und belastet die Böden?

- Welche Rolle spielt die Industrie?
- Welche Rolle spielt die Landwirtschaft?

Wer verursacht Lärm?

- Wer sind die Hauptverursacher im Straßen- und Schienenverkehr?
- Wer sind die Hauptverursacher im Flugverkehr?
- Welche andere Lärmquellen gibt es?

Wer verursacht den meisten Müll?

- Welche Rolle spielen Restaurants/Geschäfte?
- Welche Rolle spielen Haushalte?
- Welche Rolle spielt die Industrie?

Welche Energiearten belasten die Umwelt am stärksten?

- Wie belastet Atomenergie die Umwelt, z.B. durch die Erwärmung von Gewässern?
- Wie belastet die Kohlekraft die Umwelt, z.B. die Luft?
- Wie belasten Gas und andere Brennstoffe die Umwelt?
- Sind alternative Energien wie Wasser, Wind, Sonne völlig umweltfreundlich?

3   Die Lösungsebene

Welche Rolle kann der Einzelne spielen?

- Wie kann es zu einem Umdenken kommen?
- Wie kann ein umweltbewussteres Verhalten erreicht werden und wie sieht das aus, z.B. Müllvermeidung?

Welche Rolle können Politiker, Parteien, Bürgerinitiativen, Umweltgruppen spielen?

- Wie kann man die Bevölkerung informieren und aufklären?
- Wie kann man zum Gespräch und zur Diskussion anregen?
- Wie kann man ein Infragestellen der eigenen Meinungen und Verhaltensweisen bewirken?

Was kann die Regierung machen?

- Wie sehen umweltgerechte Gesetze aus?
- Wie kann man umwelterhaltende Projekte besser fördern?
- Wo braucht man strengere Richtwerte und Standards?
- Sind härtere Strafen für Umweltsünder ein gutes Mittel?

Welche Maßnahmen der letzten Jahre haben einen positiven Effekt gehabt?

- Recycling?
- Mülltrennung?
- Bleifreies Benzin und Katalysatoren?

- Grüne Partei in der politischen Verantwortung?
- Duales System?
- Pfand auf Flaschen und Dosen?

Welche konkreten Maßnahmen würden der Umwelt helfen?

- Schallschutzwände, Nachtfahrverbote für LKWs, verkehrsberuhigte Zonen, Tempolimits auf Autobahnen und spezielle Start- und Landetrassen für Flugzeuge gegen Lärm?
- Europäische Umweltpolitik (Wasser- und Luftverschmutzung kennt keine Landesgrenzen) mit einheitlichen Standards?
- Noch schärfere gesetzliche Richtlinien?
- Ökosteuern und Umweltabgaben, z.B. beim Benzin?
- Autobahngebühren und mit den Einnahmen öffentliche Verkehrsmittel verbilligen/verbessern?
- Ökologie als Schulfach?
- Verstärkte Nutzung alternativer Energien?

C The German school system

1 Allgemeine Aspekte

Was bedeutet föderative Struktur des Schulwesens?

- Wie viele verschiedene Schulsysteme gibt es?
- Was sind die Unterschiede der Schulsysteme in den Ländern?
- In welchen Ländern werden Schulmittel (z.B. Schulbücher) von den Schulen gestellt und wo müssen die Eltern sie selbst bezahlen?

Wie gestaltet sich ein typischer deutscher Schultag?

- Wie sieht die Einteilung des Schultags (z.B. Zeiten) aus?
- In welcher Größenordnung gibt es Nachmittagsunterricht?

Welche Rolle spielen Arbeitsgemeinschaften?

- Für welche Schulfächer gibt es Arbeitsgemeinschaften (AG)?
- Für welche außerschulischen Bereiche gibt es AGs?

Inwieweit werden deutsche Schüler gefördert?

- Wie werden schwächere Schüler gefördert?
- Wie werden besonders begabte Schüler gefördert?

Wie einflussreich sind Schüler- und Elternvertretungen?

- Welche Aufgaben und wie viel Einfluss hat die Elternvertretung?
- Welche Aufgaben und wie viel Einfluss hat die Schülervertretung?

Wie funktioniert das Zusammenspiel von Noten und Zeugnissen?

- Wann wird ein Schüler nicht versetzt und muss sitzen bleiben?
- Wie oft kann er sitzen bleiben?

Welche Bewertungsmethoden gibt es?
- Was bedeuten die Noten 1-6?
- Was unterscheidet mündliche und schriftliche Noten?
- Was bedeuten die Punkte 1-15?
- Wie sehen Halbjahres- und Jahreszeugnisse aus?

Was für eine Rolle spielen Privatschulen in Deutschland?
- Wie kann man die steigende Zahl von Privatschulen erklären?
- Wie kann man die steigende Zahl von privaten Hochschulen erklären?

2 Die Sekundarstufe 1

Was ist eine Hauptschule?
- Gibt es in jedem Bundesland Hauptschulen?
- Wie hoch ist der Anteil an Schülern, die die Hauptschule besuchen?
- Was für Fächer hat ein Hauptschüler?
- Wie sieht ein Hauptschulabschluss aus?
- Was für Möglichkeiten hat ein Schüler mit Hauptschulabschluss?
- Welche Ziele verfolgt die Hauptschule?

Was ist eine Realschule?
- Wie hoch ist der Anteil an Schülern, die die Realschule besuchen?
- Was für Fächer hat ein Realschüler?
- Wie sieht ein Realschulabschluss aus?
- Was für Möglichkeiten hat ein Schüler mit Realschulabschluss?
- Welche Ziele verfolgt die Realschule?

Was ist ein Gymnasium?
- Wie hoch ist der Anteil an Schülern, die das Gymnasium besuchen?
- Was für Fächer hat ein Gymnasiast?

Was ist eine Gesamtschule?
- Wie hoch ist der Anteil an Schülern, die eine Gesamtschule besuchen?
- Gibt es in jedem Bundesland Gesamtschulen?
- Wie funktioniert eine Gesamtschule?
- Was für Abschlüsse gibt es?
- Welche Ziele verfolgt die Gesamtschule?
- Gibt es unterschiedliche Meinungen zur Gesamtschule?

Was ist eine Sonderschule?
- Wer besucht eine Sonderschule?
- Wie funktioniert eine Sonderschule?
- Was für Fächer hat ein Sonderschüler?
- Welche Ziele verfolgt eine Sonderschule?

Gibt es noch weitere Schultypen?
- Was sind Walldorfschulen?
- Wie viele Internate gibt es?

Was steckt hinter dem Konzept der Orientierungsstufe/Erprobungsstufe?
- Wann beginnt und endet die Orientierungsstufe?
- Welche Art von Orientierung findet statt?

3   *Die Sekundarstufe 2*

Wie funktioniert die gymnasiale Oberstufe?
- Wann beginnt und endet die Oberstufe?
- Wie ist der Unterricht organisiert?
- Wie funktioniert das Kurssystem?
- Wie funktioniert das Punktesystem?
- Wie sieht eine Abiturprüfung aus?
- Warum wurde an manchen Gymnasien/in manchen Bundesländern die Schulzeit auf 12 Jahre verkürzt?

Was bedeutet 'duales System' im Schulwesen?
- Was bedeutet Berufsschulpflicht?
- Wie sehen die verschiedenen Ausbildungsgänge im dualen System aus?
- Welche Arten von Berufsschule gibt es?
- Welche Fächer gibt es auf jeder Berufsschule?
- Welche Qualifikationen und Abschlüsse gibt es?

4   *Die Hochschulen*

Wie funktioniert die Vergabe der Studienplätze?
- Was bedeutet 'Numerus Clausus'?
- Welche Aufgabe hat die ZVS?
- Bei welchen Fächern kann man sich direkt bei der Universität bewerben?

Wie viele Abiturienten studieren und wie lange dauert ein Studium?
- Wie hoch ist der Anteil derer, die nach dem Abitur ein Studium beginnen — unter den Männern/Frauen?
- Hat sich der Anteil der Frauen in den letzten Jahren geändert?
- Wie lange dauert ein Studium (fächerabhängig)?

D   A German film

Können Sie den Film kurz vorstellen?
- Was ist der Titel des Films?
- Hat der Titel eine besondere Bedeutung?
- Was ist der Ort der Handlung?
- In welcher Zeit spielt der Film?
- Wie kann man den Film grob charakterisieren, z.B. als historisch, modern, fiktiv, real?

Können Sie das Geschehen kurz skizzieren?

- Wie beginnt der Film?
- Wie entwickelt sich das Geschehen?
- Kommt es zu Konfliktsituationen?
- Wie endet der Film?

Wer sind die Hauptfiguren in dem Film?

- Wer sind die weiblichen Hauptfiguren?
- Wer sind die männlichen Hauptfiguren?

Welche Nebenfiguren spielen eine wichtige Rolle?

- Welche weiblichen Nebenfiguren spielen eine wichtige Rolle?
- Welche männlichen Nebenfiguren spielen eine wichtige Rolle?

Wie ist das Verhältnis der wichtigen Figuren zueinander?

- Wie lässt sich das Verhältnis der wichtigsten Figuren zueinander beschreiben, z.B. freundschaftliches/feindliches Verhältnis, Liebesbeziehung, Kollegen?
- Ändern sich die Verhältnisse, und wenn ja, wie und warum?

Wie wird die Gesellschaft dargestellt?

- Wie wird die Gesellschaft portraitiert, z.B. als mutig, feige, passiv, interessiert, engagiert, politisch, unpolitisch?
- Ändert sich das Verhalten der Gesellschaft während des Films?

Welche Gruppen und/oder Institutionen spielen eine wichtige Rolle?

- Spielen Familie, Freunde oder Verwandte eine wichtige Rolle?
- Spielen politische Parteien eine Rolle?
- Spielen die Kirchen eine Rolle?
- Spielen die Medien eine Rolle?
- Welche Rolle spielt die Arbeitswelt?

Welche Aussagen hat der Film?

- Hat der Film politische Aussagen, also kritisiert er, z.B. die bestehenden Machtverhältnisse oder verherrlicht er zum Zwecke der Propaganda?
- Hat der Film gesellschaftliche Aussagen, also handelt es sich beispielsweise um Gesellschaftskritik?
- Hat der Film psychologische Aussagen, also handelt es sich beispielsweise um eine Art von Vergangenheitsbewältigung?
- Hat der Film ästhetische Aussagen, also handelt es sich beispielsweise um die Darstellung einer Liebesbeziehung?
- Will der Film einfach nur unterhalten, Spaß machen oder ablenken?

Was könnte die Absicht des Filmemachers sein, will er...

- belehren?
- kritisieren?
- aufrütteln?
- detailliert beschreiben und darstellen?
- provozieren?
- schockieren?
- unterhalten?
- Angst machen?
- zum Nachdenken anregen?

Was für eine Wirkung hatte der Film auf Sie?

- Wie hat Ihnen der Film gefallen?
- Was für eine Wirkung hatte der Film beim Anschauen, z.B. 'Ich habe alles um mich herum vergessen', 'Ich war gerührt', 'Ich war teilweise gelangweilt'?
- Was haben Sie nach dem Sehen des Films gedacht — unmittelbar danach und ein paar Wochen später?

Was für eine Wirkung hatte der Film auf andere?

- Wie fanden Personen in Ihrem unmittelbaren Umfeld den Film?
- Hat sich durch das Gespräch mit anderen Leuten Ihre Meinung zum Film geändert?
- Wie erfolgreich war/ist der Film?
- Wie sind die offiziellen Filmkritiken ausgefallen?
- Würden Sie den Film weiterempfehlen?

Wie fanden Sie die schauspielerischen Leistungen im Film?

- Welche Leistungen haben Ihnen besonders gut/nicht so gut gefallen?
- Haben bekannte Schauspieler in dem Film mitgewirkt?
- In welche anderen Rollen kann man sie noch sehen?